VITALIANO BRANCATI

DON GIOVANNI IN SICILIA

EDIZIONE SEMPLIFICATA AD USO SCOLASTICO E AUTODIDATTICO

Questa edizione, il cui vocabolario è composto con le parole italiane più usate, è stata abbreviata e semplificata per soddisfare le esigenze degli studenti di un livello leggermente avanzato.

A cura di: Solveig Odland
Consulente: Pina Zaccarin Lauritzen
Illustrazioni: Adrian Sørensen

ISBN Danimarca 87-429-7648-0

Stampato in Danimarca da
Sangill Bogtryk & offset, Holme Olstrup

Vitaliano Brancati

nacque a Pachino (Siracusa) nel 1907. Trascorse l'infanzia e la giovinezza a Catania e quindi si trasferì a Roma dove divenne uno dei più sottili scrittori antifascisti di quegli anni. Morì a Torino nel 1954.

Al mondo cittadino del Mezzogiorno è legata la sua opera, dove la noia della provincia si tinge di colori cupi e tragici: manca negli eroi di Brancati la speranza di uscire dalla loro situazione disperata.

Il gallismo tipico dei suoi romanzi è non solo verità di fatto ma anche metafora della società fascista, conquistatrice a parole del mondo, ma in verità impotente e ridicola.

Questo appare già chiaramente in una delle sue prime opere »Don Giovanni in Sicilia« (1941), e successivamente ne »Il vecchio con gli stivali« (1945), »Il bell'Antonio« (1949) e nell'opera postuma »Paolo il caldo« (1955).

1

Giovanni Percolla aveva quarant'anni, e viveva da dieci anni in compagnia di tre sorelle, la più giovane delle quali diceva di esser »*vedova* di guerra«. Non si sa come, nel momento in cui pronunciava questa frase, lei si trovava con una penna e un foglio in mano, e subito si metteva a scrivere dei numeri, accompagnandosi con queste parole:

»Quando io ero in età da marito, scoppiò la grande guerra. Ci furono seicentomila morti e trecentomila *invalidi.* Alle ragazze di quel tempo, venne a mancare un milione di possibilità per sposarsi. Eh, un milione è un milione! E uno di quei morti avrebbe potuto essere mio marito!«

»Giusto!« diceva l'altra sorella. »Giusto! Eri molto graziosa al tempo della guerra!«

Si chiamavano Rosa, Barbara e Lucia, e si amavano teneramente, fino al punto che ciascuna, incapace di pensare la più piccola bugia per sé, mentiva volentieri per far piacere all'altra.

»Eh, tu Rosa, saresti ora moglie di un colonnello!« ripeteva Barbara. E questo perché, una sera del 'quindici, *rincasando* tutt'e tre per una stradetta buia, pare che fossero seguite da una figura alta con l'aspetto di ufficiale.

»No, il capitano andava per i fatti suoi!« disse Rosa.

»Amor mio,« continuò Barbara, »quando si va per i

---

vedova, donna a cui è morto il marito
invalido, chi ha ferite o una malattia che non possono guarire
rincasare, tornare a casa

fatti propri, non si dice: 'Signorina, domani parto, posso mandarvi una lettera?'«

»Ma forse lo diceva a te!«

»No, no, no; no, no, no!«

»Lo avrà detto a Lucia!«

»Figlia di Dio!« esclamava Lucia, »Barbara forse non lo ricorda, perché entrò con te nel *portone,* ma io che mi fermai per raccogliere la chiave, lo sentii *mormorare:* 'Signorina Rosa!'«

»Può darsi, può darsi! . . . Dio mio, quanta gente non ritornò di quelli che discutevano nei caffè e guardavano in su, passando sotto i balconi!«

Questi discorsi non si tenevano mai alla presenza di Giovanni. Vedendolo arrivare, la *portinaia* scuoteva il campanello della finestra e annunciava: »Il signore sale le scale!«; e le tre sorelle si mettevano a correre agitate da tutte le parti.

Giovanni andava a chiudersi nella propria camera. Mezz'ora dopo veniva a tavola, e trovava le sorelle già sedute, con gli occhi alla porta dalla quale egli doveva apparire, e il piatto ancora asciutto. Durante il pranzo scambiavano poche parole. Le tre donne non erano mai riuscite a liberarsi da un senso di rispetto e di timore nei riguardi di lui: il fatto che egli parlava poco, che non si lamentava mai di nulla e trovava tutto buono, grazioso, non c'è che dire, e portava duemila lire alla fine del mese, e somigliava tanto al papà del ritratto grande e al nonno della piccola statua a colori, come diceva Barbara, e infine, rincasando in piena

---

portone, ingresso principale nei palazzi
mormorare, parlare a voce bassa
portinaia, donna che custodisce le porte dei palazzi e fa altri servizi, per es. la pulizia

notte, camminava in punta di piedi per non svegliarle, metteva nelle tre donne un senso di tale rispetto, per cui nessuna di loro avrebbe osato, alla presenza di lui, parlare del capitano del 'quindici, e comunque di matrimoni. A questo si aggiunga che non avevano mai *cenato* insieme al fratello: perché egli rincasava nel cuore della notte, e, con lo stesso silenzio che aveva usato nel corridoio, consumava piano piano, nella sala da pranzo, tutto quanto le donne avevano preparato per lui.

La mattina, le sorelle si limitavano a camminare nella sala da pranzo, ch'era il punto della casa più lontano dalla camera di lui, e non osavano spingere nemmeno un passo fuori di quello spazio, per timore che un rumore anche leggero andasse a svegliarlo prima delle nove e mezzo.

Qualche volta Barbara aveva tentato di entrare, con una domanda, nella vita di lavoro del fratello: »Giovannino, viene molta gente al negozio?« Egli si passava un dito sull'occhio, apriva la bocca, e *sbadigliando,* diceva: »Eh!«

Questo aumentava il rispetto per la vita che egli conduceva fuori dal loro sguardo. E la mattina, quando egli appariva sbadigliando, i capelli in disordine e l'occhio buono, che non trovava mai qualcosa di non piacevole sulla tavola, segnava, nel cuore delle sorelle, il momento del massimo rispetto per lui.

Alle dieci era già sulla scala, e mandava dalla porta il solito saluto: »Vado a lavorare!« Questa frase rimaneva nello spazio vuoto della scala, e pareva aspettarlo fino a quando egli rincasava . . .

---

cenare, consumare la cena
sbadigliare, aprire la bocca respirando; è segno di sonno, noia ecc.

Eppure, la vita di quest'uomo era dominata dal pensiero della donna! Quando, nella valle di Josafat*, le tre sorelle sapranno che cosa pensava Giovanni nelle lunghe ore del pomeriggio, di che parlava con gli amici, come il suo lavoro al negozio si riducesse ad aiutare con gli occhi quello che facevano lo zio e i *cugini,* le povere donne crederanno che Dio si prenda gioco di loro, e diranno: Ma come, Giovanni? Il serio, il buono, il *rispettabile* Giovanni?

Ebbene, sì! La testa di Giovanni era piena della parola donna (e di quali altre parole, Dio mio!). Narriamo brevemente la sua vita, sia pure col rischio che diciate: »Ma di quale altro Giovanni ci parlate?«

Giovannino nacque un giorno più tardi di quando doveva nascere. Il bambino che non usciva alla luce fu considerato morto. Invece Giovanni non era morto, e uscì d'improvviso alla vita. »È arrivato tardi, ma è bello!« disse la donna che lo ricevette fra le mani.

Pochi anni dopo la sua nascita, gli parlarono della donna, seduti in terra sotto un carro. La strada era deserta: nel fondo, seduta davanti a una porta, c'era soltanto una vecchia vestita di nero, la quale dovette ricevere tutti gli sguardi dei ragazzi nel momento in cui si nominava il soggetto del discorso.

Da quel giorno, la parola donna non lasciò per un minuto la sua mente. Com'è fatta? Come non è fatta? Che cosa ha in più, che cosa in meno? Il ragazzo già *pigro* di natura, divenne *tardissimo,* carico com'era di tante domande.

---

*Qui significa il giorno del Giudizio Universale.
cugino/a, figlio o figlia dello zio o della zia
rispettabile, che si deve rispettare
pigro, lento, che ha poca voglia di fare
tardo, qui lento

Sebbene fosse ancora nell'età in cui le signore, nel *salotto* in cui mancano le sedie, ci tirano con un bacio sulle ginocchia, e la cugina più anziana, nella casa di campagna in cui sono arrivati improvvisamente degli ospiti, ci fa dormire con lei, Giovannino *arrossiva* in tal modo quando una mano di donna gli toccava leggermente la testa, che nessuna osò più occuparsi di lui. Questo servì a renderlo più solitario e pigro. Fra lui e la donna ci fu sempre una certa distanza che egli riempiva dei suoi sguardi bassi e improvvisi. La sua emozione era tanto maggiore quanto maggiore diventava quella distanza. Il massimo della felicità egli lo raggiungeva la notte, se al di sopra dei tetti e delle terrazze, quasi in mezzo alle nuvole, si accendeva una finestrina rossa, nella quale passava e ripassava una figura di donna che si poteva pensare si sarebbe fra poco spogliata. (Cosa che mai avveniva, almeno con la finestra aperta e la luce accesa.) Ma bastava l'ombra di qualcuno, che probabilmente si muoveva sopra un letto, posto a destra o a sinistra dal punto della stanza dato da vedere, perché la fronte di Giovanni si bagnasse di *sudore*.

Queste emozioni precedettero di qualche anno una brutta abitudine, comune a tutti i ragazzi della sua età, ma che, per alcuni mesi, egli portò agli estremi.

Dopo quei mesi, per fortuna, Giovanni divenne di nuovo normale, anche perché alle sensazioni troppo forti preferiva quelle più dolci e di maggiore durata che gli procuravano i discorsi sul solito argomento. Per

---

salotto, sala in cui si ricevono gli ospiti
arrossire, divenir rosso in volto
sudore, gocce che escono dalla pelle quando ci si sente caldi o eccitati

tali discorsi, trovò facilmente a Catania compagni abilissimi che gli divennero cari come certe voci interne senza le quali non sapremmo vivere. Per esempio, l'uhuuu! di Ciccio Muscarà, lo riempiva di gioia; ed egli avrebbe passato male la domenica, se, durante la settimana, non avesse sentito almeno venti volte quel profondo *lamento* a proposito di una donna.

Prima di conoscere la donna, trascorse lunghe sere nel buio di certe *straducole,* ove stava nascosto insieme a Ciccio Muscarà e a Saretto Scannapieco. Qualche volta la luce improvvisa, da una porta spalancata con un calcio, illuminava tutti e tre, e una voce cattiva che li invitava ad entrare, li faceva fuggire fino al centro della città.

Una sera che pioveva e Giovanni era tutto bagnato, un *donnone* lo tirò dentro, e chiuse la porta. Tutto fu rapido e confuso. La sensazione più forte egli la provò nel rimettere gli abiti, ancora bagnati, sul corpo che bruciava di febbre. Si ammalò la sera stessa, e l'indomani narrò l'accaduto ai due amici che lo erano andati a trovare. Forse la distanza fra lui e la donna si sarebbe allungata in modo definitivo, e per sempre, se una ragazza di campagna non avesse pensato a rendergli la verità della donna non troppo lontana dall'idea che egli ne aveva.

Intanto era scoppiata la guerra, e Ciccio Muscarà fece la scoperta che le mogli, rimaste sole nei loro grandi letti, »sentivano freddo«. Ce n'era una, uhuuu!, in via Decima . . . Un'altra in un cortiletto, uhuuu! . . .

---

lamento, suono, voce di dolore, di persone e specialmente di animali
straducola, brutta, piccola strada
donnone, donna grande

Una terza nell'ultimo piano di un palazzo! . . . Si trattava di scoprire quali fossero »disposte« fra tante, e indovinare il momento. Questo si poteva capirlo dallo sguardo che ciascuna gettava, alzandosi dall'*inginocchiatoio*.

Giovanni Percolla e Ciccio Muscarà passavano gran parte della loro giornata nelle chiese di Catania, sotto i grandi piedi delle statue. Ma senza successo. Si portavano vicino al *confessionale*, ma quello che udivano serviva poco ai loro discorsi sulle sofferenze delle mogli

confessionale

prive dei mariti. »Signor *confessore*, quando mangio la sera, sogno animali con tre piedi, ma quando vado a letto *digiuna*, vedo sempre mio marito come al tempo

---

inginocchiatoio, piccolo mobile di legno sul quale ci si mette in ginocchio per pregare
confessore, sacerdote a cui si fa la confessione
digiuno, che non mangia da un periodo più o meno lungo

in cui aveva sedici anni, che scendeva a testa in giù nella mia finestra dal piano di sopra. Devo andare a letto digiuna?« Questa fu la sola frase che udirono per intero.

Tuttavia fu solo alla fine della guerra che convennero di aver perduto il loro tempo, e i due amici si rassegnarono ad abbandonare la dolce abitudine di frequentare le chiese.

Il *taccuino* di Giovanni, che intanto aveva lasciato per sempre la scuola, e frequentava il negozio di stoffe dello zio Giuseppe, si riempì della parola *ruff*.

Quasi in ogni pagina, c'era un nome, con accanto le quattro lettere. Boninsegna, via del Macello ruff . . . Di Turrisi, via Schettini ruff; Leonardi, via Decima ruff . . . Di chi erano questi nomi? Erano uomini che si prestavano ad accompagnare i signorini, o, come si dice a Catania, i »cavalitti«, nelle *soffitte* in cui una ragazza mal dipinta si nascondeva, fingendo di essere timida, dietro la madre falsamente spaventata, e che poi non era la madre ma una vicina.

Il più famoso di questi era don Procopio Belgiorno. Piccolo, un solo ciuffo di capelli in testa, vestito sempre di nero con una camicia molto sporca, don Procopio Belgiorno mormorava in un orecchio: »Un piacere mondiale! . . . Passò il guaio sei giorni fa! Quindici anni! . . .« Subito il giovanotto tremava per l'emozione: »Don Procopio, non facciamo che sia una vecchia come l'altra volta?«

---

taccuino, libretto dove si scrivono le note personali
ruff, cioè *ruffiano,* chi procura una donna da portare a letto
soffitta, la parte d'un palazzo tra l'ultimo piano e il tetto, qualche volta abitata

In verità, non era mai accaduto che una delle sue quindicenni non avesse almeno trent'anni. I giovanotti lo sapevano; ma l'*eloquenza* di don Procopio era potentissima in una città come Catania ove i discorsi sulle donne davano maggior piacere che le donne stesse.

Il solo momento piacevole, per i giovanotti, era quello in cui camminavano con don Procopio verso la casa sconosciuta, oggetto dei loro sogni. Poi sia l'uno che gli altri sapevano cosa sarebbe accaduto: don Procopio, giunto all'ultimo piano, prima che si aprisse la vecchia porta, scendeva indietro indietro; e i giovanotti tiravano fuori le mani dalle tasche dei pantaloni. Non appena si faceva luce, e la quindicenne rivelava la sua vera età, don Procopio si buttava giù per le scale, ma presso il portone veniva raggiunto e picchiato.

Si può anche dire che il destino di questi uomini è stato ben duro: di dover picchiare a sangue il poeta dei loro sogni d'amore, l'uomo che leggeva nei loro occhi, e prometteva a bassa voce colei che ciascuna avrebbe voluto, e dava poi quello che la vita *suole* dare in simili casi.

Del resto, anche personaggi illustri si lasciarono convincere dall'eloquenza di don Procopio. Il sindaco in persona si fece accompagnare, una sera di domenica, dalle parole convincenti di don Procopio. »Ecco qui, signor sindaco!« disse costui alle fine, spingendolo nella stanza. Questa volta la ragazza alla quale don Procopio aveva accompagnato il suo cliente, fuggendo poi a gambe levate, non era una vecchia, ma una ragazza vera e propria. Solo che aveva, da sei giorni, una

---

eloquenza, l'arte di esprimersi con la parola
solere, usare, fare di solito

febbre altissima e misteriosa. Il sindaco fu accolto da grida disperate, perché venne scambiato per il medico.

»Signor dottore!« gli gridava la madre, tirandolo per la manica, »signor dottore, la medicina! Non la conservate per i ricchi, la medicina, signor dottore!«

In un grande letto, sotto delle immagini sacre, il Re, Garibaldi, giaceva un piccolo viso schiacciato dalla sofferenza. »Barbara!« chiamava la madre a quel visino da un soldo, »Barbara, guardami, c'è il dottore! Ti darà la medicina! . . . Oh, non sente! Oh, che disgrazia ci hanno gettato! Il sindaco ci ha venduti come stracci! Quel cane del sindaco! . . . Vi prego, signor dottore, uscite questa medicina!«

»Ma. . . non so . . . ho sba. . .«

»Non sapete? Non sapete? Andate via! Via andate, maledetto!«

Questo fu il primo caso di febbre spagnola a Catania, e il principio di una serie di disgrazie.

Una sera il padre di Giovanni Percolla rincasò con una brutta espressione sul viso. »*Sudato,* sudatissimo!« disse. »Sento che starò male!«

»Hai la febbre?« gli domandava la moglie, alzandosi sui piedi per sentirgli la fronte.

»Certo, una febbre da cavallo!«

Gli misero un lungo *termometro* in bocca, ma, con grave dispiacere del vecchio Percolla, quel termometro segnò trentasei gradi. »Non hai febbre!« fece la moglie, battendo le mani.

»Non l'ho, ma sto male lo stesso!« e il vecchio Per-

---

sudato, bagnato di sudore
termometro, strumento per misurare la temperatura

colla si mise a letto. »Morirò, sangue d'un cane, morirò!«

Volle che gli portassero nella camera tutti i suoi oggetti più cari. I bastoni furono collocati in un angolo.

»Quello!« disse, indicandone uno fra i tanti. »Quello . . .«

»Lo vuoi?« domandò piano la moglie che cominciava a piangere.

»Con quello battevo il cancello del tuo giardino e tu ti affacciavi!«

Ma quando gli portarono la poltrona, in cui soleva passare le lunghe ore della sera, balzò a sedere sul letto. »Eccomi!« gridava. »Eccomi seduto lì! Un uomo onesto, un brav'uomo sedeva in quella sedia! Sangue del diavolo, figlio di . . . quel brav'uomo deve morire!«

La notte, il vecchio Percolla fu preso dalla febbre, e i suoi occhi s'attaccarono alla porta come a guardare qualcosa che gli altri non vedevano. Maledetti tempi! Due giorni dopo, anche la moglie si ammalava. Questa donna, ancora giovane, morì nel salotto, ove s'era spinta, di nascosto a tutti, per recarsi nella camera del marito. Dopo sette giorni di malattia, anche il marito se ne andava.

Giovanni, da tutti ritenuto freddo e pigro, fu preso da un tale dolore, che molti vicini vennero a tenergli le gambe e a strappargli le mani dalla bocca.

Gridava, parlava e piangeva. Pareva che questo ragazzo dovesse rompersi come una canna. Ma una settimana dopo, egli era tornato chiuso come prima; voleva rimaner solo, di notte, nella casa ormai vuota. Ma presto, tornarono in casa le tre sorelle, ch'erano vissute sempre coi nonni. Lo zio Giuseppe gli disse: »E ora a te! Lavora!«

Passarono quindi tre anni, che noi non racconteremo, al termine dei quali Giovanni si era restituito totalmente alle sue vecchie abitudini.

Domande

1. Perché Giovanni e le sue sorelle abitano insieme?
2. Qual è l'atteggiamento delle sorelle verso Giovanni?
3. Come si sviluppa l'interesse di Giovanni per le donne?
4. Come occupano il tempo Giovanni e i suoi amici?
5. In quale modo cercano contatto con le donne?

2

Ora egli aveva una grande stanza tutta per sé, nella quale poteva dormire in qualunque modo desiderasse: o steso sul letto, o affondato in una poltrona bassa, coi piedi sopra un tavolino; o in terra, sul tappeto.

Qui venivano gli amici, riempiendo presto la camera di un tale fumo di sigaretta che, dal balcone *socchiuso*, i passanti vedevano uscire una nebbia grigia che si allargava nell'aria. Le sorelle di Giovanni, tenute lontane dalla camera, credevano che i tre amici parlassero di affari . . . Invece parlavano del piacere che dà la donna.

»Io,« diceva Scannapieco, »attraverso un momento brutto! Salgo muri lisci! Non posso guardare nemmeno un piedino che . . . uhuuu! Non ci sono donne che mi bastino!«

»E io, sangue d'un cane?«

»Ma perché la donna deve farci quest'impressione? Vedo quei *continentali* calmi, sereni! . . . Non ne parlano mai!«

»È il sole anche!«

»Ma che diavolo dici, il sole? A Vienna, due anni fa, durante un inverno, Dio ce ne liberi, che pareva la notte, forse che io? . . . Madonna del Carmine! 'Avete il fuoco nel sangue?' mi diceva la figlia della padrona di casa.«

Nel 'ventisette, tutti e tre si recarono a Roma, per parlare con un *grossista* di lana. Ma, giunti a Roma,

---

socchiuso, non del tutto chiuso
continentale, del continente
grossista, chi vende e compra in grande quantità

dimenticarono totalmente gli affari e il motivo per cui erano venuti. Lo stesso direttore generale, eccellenza Cacciola, zio di Muscarà e personaggio di peso, smise presto di parlare di commercio, ed esclamò: »Avete visto che donne?«

I tre amici lasciarono l'atteggiamento avvilito, la posizione di attenti e l'espressione della noia, e scoppiarono a ridere: »Santo cielo!« Poco dopo, erano alla finestra, fra le tende, e Sua Eccellenza indicava, col dito carico di anelli, certe ragazzone bionde che uscivano dal Ministero di fronte: »Mi fanno morire, vi assicuro, mi fanno morire!«

»Oh, lo capisco, Eccellenza!« mormorò Scannapieco. »Uno al posto vostro, con le occasioni che ha, dovrebbe desiderare solamente di esser fatto di ferro!«

Il Direttore non negò che avrebbe gradito un po' di ferro nel suo debole corpo d'uomo e, indotto dal complimento, entrò in maggiori confidenze coi propri *compaesani:* »È che sono un uomo serio! Non voglio approfittare della carica! Uno deve sapersi frenare.«

Dopo quella visita, che, almeno nelle loro intenzioni, avrebbe dovuto aver influenza sul corso dei loro affari, i tre *catanesi* non si occuparono più di lana, di prezzi e di contratti.

Passavano un'ora del mattino e una del pomeriggio in piazza Fiume a guardar salire le ragazze sugli *autobus.* »Ma quante ce n'è! Ma quante ce n'è!« mormorava Scannapieco. »E tutte belle!«

Per belle, intendevano grasse, più alte di loro, e di passo veloce.

---

compaesano, chi viene dallo stesso paese
catanese, di Catania
autobus, vedi illustrazione pag. 20

autobus

»Guarda questa! ... L'altra guarda!« rispondeva Percolla. »Laggiù, laggiù, maledetto!«

Soffrivano e si lamentavano. Ecco un autobus che rimane fermo per tre minuti. Nel salire, una sedicenne alta, bruna, si accarezza il collo con la mano destra e getta nella strada uno sguardo luminoso. I tre amici si mettono subito nel punto della strada in cui cade lo sguardo della ragazza, come si fa con certi ritratti; e, godendo lì di una falsa attenzione da parte di lei, affondano i loro occhi nei suoi, sorridono, fanno segni con la bocca e con gli orecchi. Già l'amano, la chiamano a bassa voce, in un attimo vivono tutta una vita con lei.

Ma l'autobus riprende il viaggio, portando con sé la ragazza che, dopo un'intera vita vissuta, abbastanza felicemente, con ciascuno di essi, non lascia nemmeno per un istante gli occhi su di loro, e continua a guardare tutto quello che le capita davanti.

Del resto, ogni volta che una donna graziosa usciva dal loro sguardo, essi si sentivano traditi e abbandonati.

Spesso, la sera, dovendo recarsi in pensione all'ora stabilita, perdevano la cena perché la donna, dietro la quale s'eran messi a camminare, e che sembrava facesse la loro strada, li portava lontano, e un'altra, di ritorno, li portava nel punto opposto della città.

Nel cuore della notte, essi vedevano, per un attimo, negli specchi dei negozi, le loro facce stanchissime.

Veramente, non avevano molta fortuna: anzi, non ne avevano affatto. E come avrebbero potuto averne? Tremavano e perdevano le forze nel momento in cui, lasciando improvvisamente un discorso a mezzo, decidevano di dire alla signora ch'era bella, bella, bella.

»Se avessi una casa qui« riuscì a mormorare, con gli occhi fuori della testa, Scannapieco, ballando con una *bolognese,* nel salotto della pensione, »verreste a casa mia?«

»Ma che vi piglia?« gridò la signora preoccupata per il colore del volto del suo cavaliere. Sembrava davvero che a Scannapieco stesse per »pigliare un colpo«.

La sera sedevano in un caffè in via Veneto. Sceglievano con cura il tavolo meglio adatto, per sorvegliare le più belle vedute; e non avevano mai pace. Passavano da un tavolo all'altro, perché, alzandosi un gruppo e arrivandone un altro, la Bellezza cambiava sempre di posto.

Avrebbero potuto trascorrere degli anni, guardando una bocca o addirittura una mano. Mai la loro vita era così varia come quando lo spettacolo, che si offriva ai loro occhi, era sempre lo stesso.

Li si vide tutti e tre in ogni punto di Roma ove non fossero quadri e monumenti, e invece fossero donne. Entrarono, una volta, nella *Galleria* del Vaticano, ma

---

bolognese, di Bologna
galleria, qui museo

per seguire una tedesca. »Che bellezza! Che meraviglia!« si dissero per tutto il resto della giornata: parlavano della donna.

Nella sala da pranzo, in pensione, avevan conosciuto molti giovani del Nord, ma era stato impossibile stringere amicizia. »Non facciamo pane insieme! È inutile!« diceva Scannapieco. In verità, come si poteva voler bene a uno che non rideva quando essi ridevano, e rideva quando nessuno dei tre riusciva a sorridere?

E poi? di che era fatto? di legno? la vedeva, certa grazia di Dio? . . .

Finalmente i telegrammi degli zii e dei padri ebbero il loro effetto. »Tornate«, dicevano i telegrammi: »Non continuate spendere denaro inutilmente tornate«. »Sappiamo che grossista lasciato Roma senza avervi visto tornate«.

Ed essi tornarono.

Domande

1. Come si svolge l'incontro con il grossista a Roma?
2. Come reagiscono ad ogni incontro con una donna?
3. Quali esperienze toccano durante il soggiorno a Roma?

3

Ma ora che avevano provato il gusto per i viaggi, le vecchie abitudini di Catania non gli piacevano più. Le passeggiate per il corso, i discorsi con gli amici, mio Dio, di nuovo? . . . Anche il piacere di restare a letto, dopo essersi svegliati dal sonno del pomeriggio, era rovinato dal pensiero che, in quel preciso momento, i caffè di via Veneto si riempivano di donne.

Giovanni ebbe l'idea di cenare, con i due amici, nel ristorante della stazione. »Lì,« diceva, »mi pare di trovarmi in un'altra città!«

E per otto sere andarono a collocarsi sotto una lampada nera di mosche, e cenarono vicino al banco di marmo. Ogni tanto la sala si riempiva di un fumo fitto, che essi però respiravano come la nebbia delle montagne. »Si sta bene qui!« diceva Scannapieco.

Ma poi si accorsero che spendevano troppo. »È caro!« osservò Muscarà. »E non possiamo venire qui anche in inverno! Mi pare che i vetri, alle finestre, non ci siano tutti!«

In compagnia d'altri, smettevano a un tratto di seguire la conversazione comune, per dirsi due o tre parole a proposito di qualcosa di grosso che era accaduto a Roma . . . una notte . . . due donne . . . che ridere! Ma tu, perché? . . . Oh, io! E tu allora? . . .

Gli altri li guardavano a bocca aperta, pieni di curiosità e di rispetto.

Le loro tre memorie si riempivano insieme di episodi molto strani e piacevoli: benché non si fossero intesi prima, erano sempre d'accordo nel ricordare fatti che, in verità, non erano mai accaduti.

Nel negozio, mentre sedeva dietro il banco, Giovanni si voltava a sinistra e, con un profondo *sospiro,* mormorava all'orecchio del cugino: »Sentirti dire: 'Giovanni, in amore, tu sei un dio!'«

Se poi s'interrogava Muscarà intorno a quella frase di Giovanni, Muscarà era in grado di raccontare come fu e quando fu e dove fu che una donna disse a Giovanni quelle parole.

Dopo quell'anno, al cominciare dell'estate, essi lasciarono sempre Catania, qualche volta insieme, qualche volta ciascuno per conto proprio.

Giovanni andò a passare lunghe ore silenziose a Viareggio, a Riccione, a Cortina. Lo guidava, in tali viaggi, una notizia sulle donne, magari ascoltata, in un caffè, a un tavolo accanto. Una cartolina con le semplici parole: »Caffè di Trieste, donne ottanta uomini dieci«, lo mandò nella Venezia Giulia. La frase di un capitano di lungo corso, che parlava dalla strada a un amico affacciato al balcone: »Lo so che le gambe nude si vedono alla Plaia! Ma a Viareggio, è un altro affare!« lo mandò a Viareggio.

»Che Viareggio!« scriveva intanto Scannapieco da Abbazia. »Nel mondo, non c'è che Abbazia! Abbazia! Voglio essere sepolto qui, in modo che mi passino sopra le più belle donne del mondo!«

Tornato a Catania, Scannapieco riempì tutto un inverno di sospiri per Abbazia: ne parlava con amici, conoscenti e sconosciuti.

Un'estate, furono molti i giovani di Catania che partirono quasi di nascosto, e arrivarono ad Abbazia prima di Scannapieco. Anche Percolla volle dare

---

sospiro, atto del respirare, più lungo del normale, che indica desiderio o dolore

all'amico una lieta sorpresa, facendosi trovare mezzo addormentato a un tavolino da caffè.

Giovanni, quell'estate, che cosa non vide ad Abbazia?

Le donne erano tutte tedesche e *slave*. Alcune eran venute con la sola compagnia di una valigia: vedove, amanti abbandonate invitavano con gli occhi i giovani di Catania. In verità, com'era facile! . . . Dio, com'era facile! Che peccato che queste donne non fossero poi tanto belle, e nemmeno tanto giovani.

Le giovani e belle erano venute in compagnia dei loro uomini: si trattava di grandi ragazze dagli occhi chiari che acquistavano luce solo nei momenti in cui si posavano sull'uomo che le accompagnava: serie e gravi, di mattina, sdraiate sulla spiaggia, ne bastava una per togliere il sole a cinque catanesi stesi lì accanto; di sera nelle terrazze degli alberghi, riempivano l'aria di oscure *minacce*. Le grosse belle donne, più dei grossi uomini, sono capaci di lasciar capire col solo volgere della testa o un'occhiata, che l'avvenire non promette nulla di buono. A Giovanni, che s'era avvicinato, per invitarla a ballare, a una di queste enormi, belle, innamorate, fedeli tedesche, raccomandandosi alla Madonna e a Sant'Agata, la ragazza invitata rispose col non vederlo. Egli tornò al suo posto. »Non c'è che fare!« mormorava fra sé. »Non c'è che fare!«

I tre catanesi lasciarono Abbazia, colla prima pioggia di settembre.

L'entusiasmo di Giovanni per il piacere che dà la donna si elevava continuamente, ma delle donne in

---

slavo, che appartiene ad un popolo slavo, per es. quello russo o quello yugoslavo
minaccia, atto o parole che minacciano

particolare cominciava ad avere una bassa opinione.

»Dio ha affidato a delle stupide la cosa più bella che esista al mondo!« diceva. »E che uso ne fanno? Io mi mangio le mani quando vedo la signora Leotta, quel pezzo di donna che fa fermare gli orologi, portare il corpo che Dio le ha dato, ogni pomeriggio alle cinque in punto, in via Lincoln, a quell'idiota di Gallodindia!«

Non riusciva mai a trovare una buona qualità nell'uomo che aveva avuto fortuna presso una bella donna. Si trattava sempre di uno sciocco e il suo aspetto era sempre »consumato«.

D'altronde, se la loro esperienza del piacere era enorme, quella delle donne era poverissima. Spogliato delle bugie, di quello che essi narravano come accaduto e che era invece un puro desiderio, o era accaduto a un qualche altro, il loro passato di don Giovanni si poteva raccontare in dieci minuti.

Dobbiamo dirlo chiaramente? Giovanni Percolla, a trentasei anni, non aveva baciato una signorina per bene, né aveva mai sentito freddo aspettando di notte, dietro il cancello, una ragazza che, un minuto dopo lo spegnersi della lampada nella camera del padre, si avvicinasse fra gli alberi oscuri del giardino nella lunga camicia bianca. Non aveva scritto né ricevuto una lettera d'amore, e al telefono nessuno gli aveva mai accarezzato le orecchie con le parole »amor mio«.

Con le signore poi . . . Ecco, con le signore era andata così: Una vicina, quarantenne, vedova e graziosa, aspettando nel salotto le sorelle di Giovanni, uscite per fare le spese, aveva iniziato col padrone di casa una conversazione talmente gradita che le *risate* di lei si

---

risata, atto del ridere

sentivano dalla strada. Poi, in verità, non si era sentito più nulla. Ma i rapporti si erano fermati a quel punto e a quella volta, perché la vedova aveva confidato a Giovanni che potevano incontrarsi »soltanto alle quattro di pomeriggio«, ora in cui Giovanni soleva dormire. »Eh, no! Io devo dormire!«

Dopo quella signora, nessun'altra signora.

La sua vita era, invece, piena di cameriere d'albergo e di donne facili. Ma anche qui, piaceri brevi e intensi, preceduti da lunghi discorsi fra sé e con gli amici. Più di un'ora con una donna, Giovanni non era mai stato. Egli non sapeva come una giovane si svegli all'alba, aprendo gli occhi sorridenti sugli occhi che la guardano da vicino.

»Sposati!« gli diceva qualche zio.

»Mamma mia! . . . Lasciatemi stare un altro anno!« Il pensiero di dover dormire, tutte le notti, con una donna, gli dava fastidio, come quello del servizio militare a un cinquantenne che non ha mai fatto il soldato.

Con paura pensava che un ginocchio freddo potesse toccarlo durante il sonno, o la porta aprirsi, nel pomeriggio, e una testa affacciarsi dicendo: »Tu dormi troppo, Giovanni!«

Nelle lunghe ore in cui non avrebbe detto una parola nemmeno per avvertire che la casa bruciava, e sentiva ogni momento il piacere di non essere costretto a parlare, la sua fantasia faceva un salto verso le cose più terribili, e fra queste trovava una frase, pronunciata piano piano da una voce di donna: »Perché non dici nulla Giovanni, alla tua mogliettina?«

Era fatto così.

Domande

1. Che effetto produce su Giovanni e i suoi amici il viaggio a Roma?
2. Che cosa li spinge a iniziare ogni loro viaggio?
3. Quali tipi di donne incontrano sulle varie spiagge?
4. Che sviluppo prende la loro opinione sulle donne e sull'amore?

4

Naturalmente, alle sorelle questo non dispiaceva. Avrebbero preferito un nipotino sulle ginocchia piuttosto che il gatto; ma se il Signore voleva spaventarle, bastava che mandasse a ciascuna il sogno di una *cognata* che si alzava dopo di loro, e chiedeva il caffè a voce alta, dal letto pieno di giornali e di libri.

Si facevano un dovere di ricordare a Giovanni che l'uomo deve prender moglie; ma il loro viso si illuminava di gioia e di orgoglio, quand'egli rispondeva: »Dove la trovo una donna come voi?«

»Del resto,« diceva Barbara, »c'è ancora tempo. A quarant'anni, un uomo è ragazzo!«

»Tu hai bisogno di una donna seria!« diceva Rosa. »Una donna come te! E purtroppo, di questi tempi, in città . . .«

Quell'anno, Giovanni era diventato talmente pigro, e il suo bisogno di dormire era cresciuto tanto che, la sera, Muscarà non riusciva a fargli un discorso che durasse più di tre minuti: al quarto minuto, la testa di Giovanni gli veniva addosso con gli occhi socchiusi e privi di vita.

Muscarà, stanco dell'amico, fece un viaggio e si spinse fino a Parigi.

Rimasto solo, Giovanni acquistò una rivista con donne nude a colori, che si guardava prima di addormentarsi. Quest'esercizio gli sostituì i discorsi sulla donna.

Un giorno, Muscarà tornò da Parigi con una bella

---

cognata, qui moglie del fratello

novità. Aveva acquistato una *bambola,* grande come una donna, e fatta d'una materia che somigliava alla

carne. La »parigina« fu portata, di sera, alla casa di Muscarà, e nascosta entro un *armadio* pieno di abiti. Ma due giorni dopo, un bambino, aprendo l'armadio, fece cader fuori lunga lunga la bambola. Muscarà si diede dei pugni in testa, maledicendo la sua sorte, gli ospiti, le donne, Parigi. Poi, finalmente riuscì a comprare il silenzio del bambino con una scatola di cioccolata. Ma decise di rimuovere la bambola, e domandò, la sera stessa, a molti amici se fossero disposti a accoglierla in casa. Tutti si scusavano: »Mia moglie . . . mia figlia . . .« Finalmente si trovò un uomo di cuore che accolse la »parigina« nel *retrobottega* della propria *farmacia.*

---

armadio, mobile chiuso, qui serve per contenere abiti
retrobottega, stanza dietro la bottega, usata come deposito di materiali
farmacia, negozio dove si vendono le medicine

La notizia di questa bambola, che dava alla mano esattamente le sensazioni della carne, si sparse per Catania: tutti volevano toccarla. Personaggi notevolissimi, addirittura i primi della città, lasciavano i loro letti nel pieno della notte, fingendo dolori al capo, e si recavano nella farmacia. »Guardate!« diceva pieno di orgoglio il *farmacista.* »Non le manca nulla!«

Il professor Martellini, uomo di coltura, animo di poeta, e cavaliere, ricevette una sensazione così forte sulla punta delle dita che fece due passi indietro e si cavò il cappello, avendo trovato nella bambola l'Eterno *Femminino.*

Solo Giovanni rifiutò di uscire dalle coperte in piena notte per fare il curioso con le dita, come diceva lui. Però la bambola gli appariva nei sogni.

»Diavolo di una bambola!« si lamentava con l'amico. »Me ne parlate tanto la sera, che non passo una notte senza vederla!« Chiudeva i suoi discorsi con Muscarà al telefono in questo modo: »Vediamoci pure dopo cena! Vieni a casa mia! Però, bada, non si parla della bambola!«

E Muscarà: »Sai che la vorrebbe Giuseppino Arena per una notte?«

»E che ne deve fare?«

»Non so . . . gli amici . . . Pensano di portarla in una certa pensione, e spaventare le ragazze . . . Dici che gliela do?«

»Oh, bada! . . . Io sono del parere di non dargliela.«

»Il professore le ha regalato un abito . . .«

»Un abito?«

---

farmacista, chi vende medicine o le prepara
femminino, femminile

Ma ecco di nuovo si parlava della bambola! Giovanni sbatteva il telefono, gridando »addio!«

»È gente fissata!« ripeteva. »È gente fissata!«

In quel tempo, le apparenze della vita erano più che mai serie e gravi. Rincasava più presto del solito, e mandava fino alle due del mattino, dalla camera di cui un filo di luce usciva, un rumore di pagine voltate.

»Studia?« diceva Rosa.

»Sì, studia!« faceva Lucia.

»Ma che studia?«

»Qualcosa di utile per il commercio.«

»Che brav'uomo!« mormorava Barbara. »Che brav'uomo!« E si asciugava gli occhi.

»Perché piangi, adesso?«

»Eh, la vita!«

»Che vuol dire?«

»Non so: mi viene da piangere quando penso alla vita!«

Le giornate di aprile furono belle come le notti di luna in settembre. Le vecchie abitudini non erano cambiate: Giovanni faceva quello che aveva sempre fatto, e le sorelle non facevano nulla di diverso, ma tutto, non si sapeva perché, era meglio di prima.

Solo un giorno, la seconda domenica di aprile del millenovecentotrentanove, un giorno . . . Ecco qui cosa accadde un giorno.

Il buon Giovanni rincasò, come al solito, alle due del pomeriggio. Ma invece di andare a chiudersi nella propria camera, andò nello stanzino da bagno, e chiese dell'acqua calda.

Subito gliene fu portata una *brocca.* Ma Giovanni gridò dietro la porta: »Con questa, non mi lavo il naso!«

Le tre sorelle si guardarono fra loro.

»Ne vuoi ancora dell'altra?« domandò timidamente Barbara.

Cinque volte, la brocca piena d'acqua calda fu avvicinata alla porta dello stanzino, e cinque volte il braccio nudo di Giovanni la restituì vuota.

»Dio mio!« diceva Rosa. »Che vuol dire?«

Giovanni uscì rosso in viso, battendosi il petto con le mani aperte. »Ah, santo cielo! Uno si sente un altro! ... Da oggi in poi, ogni domenica, dovete prepararmi un bagno di acqua calda.«

»Ogni domenica?« fece Rosa, guardando Barbara negli occhi.

»Ogni domenica e ogni giovedì,« aggiunse Giovanni.

»Due volte . . . la settimana?« fece Lucia.

»Due volte la settimana! C'è gente che fa il bagno ogni giorno; e forse due volte al giorno!«

Lucia ricordò un libro, »Sangue blu«, in cui aveva letto qualcosa di simile; e non disse una parola.

Nonostante che attribuisse al bagno il potere di aumentare l'appetito, Giovanni toccò appena il cibo; e le sorelle gettarono lunghi sguardi sui piatti che egli restituiva pieni. Ma quando lo videro entrare, come tutti i giorni, nella propria camera, le tre sorelle respirarono sollevate.

»Poverino,« si dissero sorridendo. »Chi sa?. . .«

Ma non era passata un'ora che Giovanni riapparve col volto acceso: »Vado fuori!« diceva. »Non mi fa bene dormire troppo!«

L'indomani fortunatamente fu un giorno assai normale; ma il giorno dopo portò una novità.

Alle cinque del pomeriggio, ora di cui Giovanni ignorava l'aspetto e la luce in qualunque stagione e mese, perché l'aveva sempre dormita, si udì dalla sua camera un suono come »Tral . . . lla, tara . . . lla«; e poi più chiaro. Le tre donne si avvicinarono in punta di piedi alla porta del fratello; anche la serva le raggiunse.

»Canta!« disse Barbara, agitando le mani. »Canta!«

E subito si ritirarono spaventate, al rumore del suo passo che si avvicinava.

Giovanni attraversò il corridoio mormorando a bocca chiusa, nel profondo del petto, un motivo che non si riusciva a distinguere. Ma due giorni dopo, questo canto divenne *sfacciato.*

---

sfacciato, privo di vergogna

»Ci pensa che, in casa, ha tre sorelle?« diceva Lucia. »Ci pensa?«

Infatti Giovanni cantava a voce alta, pronunciava chiaramente le parole, le quali spesso erano tali che Barbara arrossiva fino alla radice dei capelli.

»Prima di dormir, bambina,« cantava Giovanni, »mandami un bacio d'amore!« Oppure: »Un'ora sola ti vorrei, per dirti quello che non sai!« O addirittura: »Ma le gambe, ma le gambe, mi piacciono di più!«

Un giorno, a tavola, respinse il piatto: »Non mi piace!« disse. »Non mi piace nulla, qui dentro! Nulla! Mi vergogno di abitarci!«

»Dio!« fece Barbara, nascondendo le orecchie nelle mani: »Dio!«

»Non c'è un bagno come si deve! Ci laviamo una volta al mese, e mandiamo tutti un odore di stalla!«

»Tutti?« disse Rosa.

»Tutti!«

»Ma perché lo dici solo ora?«

»Lo dico quando mi piace di dirlo! Sono padrone di dirlo e padrone di non dirlo!«

E si ritirò in camera.

Non era passata un'ora che Giovanni si alzò, di buon umore. Cantava; strinse il naso a Lucia, la baciò vicino alla bocca, benché poi mormorasse tra sé: »Dio, che odore di vecchia!«

»Arrivederci, bambole!« gridò dalla scala.

»Bambole?« fece Barbara pallida.

Nel timore che quella parola fosse volata per le scale, fu chiamata la portinaia e interrogata. La vecchia non aveva sentito nulla.

»Eppure,« disse solennemente Barbara, »eppure devo sapere che cosa gli è accaduto!«

E l'indomani, afferrando Giovanni per la giacca, Barbara gli disse: »Ma cos'hai? cos'hai?«

»Niente!« fece lui. »Niente!«

»No, fratello mio, ti è accaduto qualcosa!« continuò Barbara.

»Pensate quello che volete. Ma non mi è accaduto niente! Io esco. Addio!«

Domande

1. Come viene accolta dagli uomini di Catania la bambola portata da Parigi?
2. In che modo Brancati rivela il concetto che questi uomini hanno della donna e dell'amore?
3. Come si trasformano le abitudini quotidiane di Giovanni?
4. Che reazione producono queste novità nelle sorelle?

5

Invece era accaduto a Giovanni un fatto così enorme che, se l'avesse semplicemente sognato, egli sarebbe rimasto per un mese turbato e sconvolto, e ogni notte sarebbe entrato nel letto, temendo di avere per una seconda volta quel sogno piacevole e insieme straordinario.

La signorina Maria Antonietta, dei *marchesi* di Marconella, lo aveva guardato!

Tutto qui?

Tutto qui! Ma non è poco, e spieghiamo perché. E prima di tutto, diciamo che la nobile signorina toscana non aveva guardato Giovanni Percolla di sfuggita, con quello sguardo che ci passa sulla faccia come un raggio di sole rimandato da un vetro che venga chiuso o aperto: ma, al contrario, lo aveva guardato in pieno viso, al di sopra del naso, forse negli occhi, ma piuttosto fra gli occhi e la fronte, ch'era la parte della persona in cui Giovanni preferiva di essere guardato, e che metteva subito avanti nella sala del *fotografo,* benché costui gli dicesse affettuosamente: »Ma così mi venite come un bue!« E in tal modo, non lo aveva guardato per un istante, ma per un intero minuto, attenta e soddisfatta.

Bisogna poi aggiungere che la storia più importante di Catania non è quella dei costumi, del commercio, dei palazzi e delle rivolte, ma la storia degli sguardi. La vita della città è piena di avvenimenti solo negli sguardi che corrono fra uomini e donne; nel resto è povera e noiosa.

---

marchese, titolo nobile che precede quello del conte
fotografo, chi fa fotografie per professione

Le donne ricevono gli sguardi, per lunghe ore, sugli occhi socchiusi. Raramente li *ricambiano.* Ma quando levano la testa e gettano uno sguardo, tutta la vita di un uomo cambia corso e natura. Se lei non guarda, le cose vanno come devono andare, per il giovanotto o l'uomo di mezz'età: uguali, comuni, tristi: insomma, com'è la vita umana.

E questi sono gli stessi catanesi che parlavano delle donne in un modo così poco gentile?

Ebbene, sì, quegli stessi, ma nel tempo in cui sono innamorati . . .

Ora Giovanni Percolla, nonostante tutta una vita dedicata alla donna, ai discorsi di lei, ai viaggi per lei, non era stato mai innamorato. Così aveva sbadigliato ogni volta che i suoi amici parlavano di questa Ninetta dei Marconella: »Voi, le continentali le rendete superbe! Di ragazze come lei, a Firenze, ce ne sono un mucchio! Dico per dire! Certo, è bellissima. Ma, santo cielo, tutta una città parla di lei! . . . Non mi pare affatto serio! Ha ragione di far la superba!«

E invece quella superba, una mattina, presso il cancello del giardino pubblico, aveva guardato, per un minuto di seguito, Giovanni Percolla.

Era andata così: Giovanni camminava con un certo timore, a sinistra, due passi più indietro della signorina Ninetta, quando lei alzò il viso e rimase meravigliata alla vista di un personaggio che evidentemente doveva possedere tutte le qualità: bellezza, bontà, intelligenza, gioventù, se una donna lo guardava così. Preso da gelosia, Giovanni si volse indietro

---

ricambiare, dare o fare qlco. in cambio di un'altra ricevuta

per vedere chi fosse costui. Ma dietro le sue spalle, non c'era nessuno: lo sguardo di Maria Antonietta dei Marconella terminava su di lui; quel personaggio era proprio lui. Dio degli angeli! Giovanni aveva dimenticato del tutto che portava in sé una simile persona, la quale, mentr'egli aveva dormito o fatto con gli amici discorsi poco adatti, s'era coperta di gloria e di bellezza, aveva fatto molte straordinarie imprese, di cui si ricordava chiaramente, adesso che due occhi, non si sa bene di che colore, fissavano in lui quel personaggio degno di essere ammirato.

Ninetta si allontanò col suo passo rapido e silenzioso, ma per Giovanni Percolla s'iniziò la vita che sappiamo. Poiché quel personaggio, che Ninetta dei Marconella aveva visto in lui, prendeva il bagno ogni giorno, egli lo prendeva due volte la settimana; poiché quel personaggio dormiva poco, egli prese a dormire poco; poiché quel personaggio cantava, egli cominciò a cantare.

»Quando cammini solo,« gli disse Muscarà, »non devi cantare! Ieri il barone Licalzi, al quale chiedevo di te, mi ha risposto: 'Canta la Marcia Reale nel giardino pubblico!'«

»Hai ragione!« disse Giovanni. »Ma vedi? . . .«

E si confidò con l'amico, che lo ascoltava preoccupato: »Ma può darsi che ti sbagli!« disse Muscarà. »Le ragazze talvolta lo sa Dio cosa guardano!«

Furono fatte le prove necessarie per rendersi certi dei sentimenti di Ninetta. Parecchi gruppi si interessarono alla cosa. Una sera, al caffè del giardino pubblico, Giovanni sedeva in compagnia di Muscarà e di tre giovanotti. »Guarda!« esclamò d'un tratto uno di questi: »Guarda qui!«

»No!« disse un signore che sedeva a un tavolino vicino: »Guarda me! Siamo qui, comunque: staremo a vedere!«

Ninetta mandò di nuovo uno sguardo rapido in direzione di Giovanni. »Te, te, te!« gridò nella gola, Muscarà.

Venne eseguita un'altra prova. Giovanni andò a sedere, solo, al tavolino lasciato poco prima dal signore. Per cinque minuti, la ragazza stette ad ascoltare un'amica, col viso rivolto a lei, poi finalmente si volse e, dopo aver cercato inutilmente nel gruppo di Muscarà, s'illuminò vedendo Giovanni solo, e tenne per un attimo gli occhi su di lui.

»Non dico più nulla!« disse il signore. »Guarda proprio lui. Complimenti!«

»Non c'è più alcun dubbio!« gli dissero gli amici. »Ti guarda ch'è un piacere!«

Giovanni non stava più nella pelle; ma nascose i propri sentimenti e, fedele al suo vecchio modo di parlare delle donne, disse che la donna è buona per una sola cosa, e basta; che, fatta quella, Dio mio, non c'è più da far nulla con lei! E fu molto volgare. Gli amici lo furono più di lui. Ed egli soffrì pene d'inferno, la sera, ascoltando le confidenze di ciascuno su quello che avrebbe messo in pratica con la Ninetta se si fosse trovato con lei in una foresta solitaria. Giovanni rideva verde, e aspettava che tutti se ne andassero, per rimanere solo col pensiero di lei: aveva fretta d'immaginarsi un bel quadro in cui Ninetta si trovasse in un luogo alto, come un balcone sospeso nel chiaro di luna, ed egli in giù, con le ginocchia per terra e gli occhi al sorriso di lei.

Una sera, nel negozio, lo zio Giuseppe, venendo meno all'ordine di risparmiare il più possibile, gridò:

»Accendete la luce! Accendete! Presto! Accendete!«

Quando fu accesa la luce, lo zio continuò: »Sangue d'un cane, che m'hai combinato, Giovanni? Parla! Che ti ho fatto di male?«

Giovanni, al buio, cedendo a quello stesso impulso che gli aveva fatto riempire tutti i fogli, tutti i libri e taccuini del nome di Ninetta scritto a penna, con due grosse *forbici* aveva *ritagliato,* centinaia di volte, da una balla di seta, quel nome adorato.

»Sei pazzo!« disse lo zio.

---

ritagliare, tagliare seguendo la linea di un disegno

Ma Giovanni non se ne dava per inteso: l'unica disgrazia che gli potesse capitare, nel corso di un giorno, era di non incontrare Ninetta e non riceverne sul viso lo sguardo.

Solo ricevendo quello sguardo, almeno ogni ventiquattr'ore, egli teneva in vita il Giovanni forte, bello, vittorioso, famoso, buono, giovane di cui aveva sempre ignorato l'esistenza.

Gli amici, benché non conoscessero a qual punto egli era arrivato, lo consideravano un vigliacco, e lo provocavano in tutti i modi per indurlo a far qualcosa che fosse più d'un sospiro. »Avvicinala!« gli gridavano a bassa voce. »Bestia, non vedi che le piaci? Avanti, su!«

Una sera furono in cinque a spingerlo per le spalle verso di lei che stava a guardare la mostra di un'*edicola*. Giovanni, buttato interamente all'indietro con la forza di un bue, pareva piantato entro terra, sicché gli dovettero dare dei pugni sulla schiena. Così, riuscirono a fargli muovere tre passi, e, a un metro da lei, lo abbandonarono tutti insieme, nascondendosi in fretta dietro alcuni alberi.

Giovanni rimase fermo come un sasso: il sangue gli era salito negli occhi, ed egli vedeva, gigantesco e vivo, il papa Pio XI che era disegnato a colori su una rivista.

Ad un tratto, Ninetta si voltò; dagli alberi giunse un »Avanti, bestia!« che lo fece impazzire dalla vergogna.

Ma cosa accade?

La ragazza si avvicina, lo guarda con due occhi che lo sciolgono, e fa lei segno di parlare.

»Che ore sono, scusate?« dice.

Giovanni cava dal taschino un pezzo di carta e, scambiandolo per l'orologio, non riesce a leggervi nulla e dice: »Non so!« poi con un fil di voce, sempre guardando negli occhi la ragazza, aggiunge: »È fermo!«

»Ma che sei diventato, uno sciocco, uno stupido?« furono le parole con cui gli amici lo accolsero sotto l'ombra degli alberi.

Egli non li sentiva nemmeno. Da quella sera, la vita gli piacque come mai gli era piaciuta, e gli antichi amici non gli piacquero più. Erano troppo volgari. La sua felicità si circondò di *malumore.*

Quella che più gli dispiaceva era la vecchia casa, nella quale rimanevano profonde le tracce di quel

---

malumore, cattivo umore

Giovanni che Ninetta coi suoi sguardi, faceva di più in più sparire.

A tavola, il modo di mangiare di Barbara gli dava ai nervi, e, quando il suono che faceva con le labbra era più forte, cessava di mangiare, guardando in giù.

»Che hai?« diceva Barbara.

»Nulla!«

»Io non capisco!« mormorava fra sé la *zitella,* asciugandosi la bocca.

»Ma che hai?« gli domandò una volta a voce più alta.

»Ho che mangi male!«

La povera donna stette per piangere, e non poté aggiungere nulla. Rosa le si fece vicina, e, sotto la tavola, le strinse teneramente una mano.

Nessuno dei quattro arrivò alla frutta.

»Io gli dico il fatto suo!« minacciò una notte Lucia, che non riusciva a dormire.

E l'indomani glielo disse: »Sei un povero sciagurato, un pazzo, non ragioni più, sei diventato una cosa, una cosa, che non riuscirebbe a sopportarti nemmeno nostra madre, buon'anima!«

»Bene!« gridò Giovanni. »È proprio così! Non ci sopportiamo a vicenda! Anch'io non ne posso più di voi! Di questa casa mal pulita. Perché di qui non si getta via nemmeno una bottiglia! Così fate l'economia: conservando il vetro sporco!«

»Così che vuoi fare?« domandò Lucia, resa calma dal dolore.

»Me ne vado, me ne vado! . . . Vi manderò il denaro come al solito, ogni fin di mese, ma vivrò in una casa

---

zitella, donna non sposata, un po' avanti negli anni

per conto mio! Ho quarant'anni! Dio mio, non voglio più vivere in una casa dove tutto mi fa schifo!«

Le donne cominciarono a piangere. Ed egli uscì sbattendo la porta.

»Mai, mai mai!« ripeté a Muscarà, che era andato a trovarlo in albergo. »Non ne voglio più sentire! Non metterò più piede in quella casa! Tutto è brutto! . . . E io non voglio più vedere cose brutte intorno a me! Ne ho abbastanza! Da quarant'anni non vedo cose belle!«

»Sei un pazzo da legare!« disse Muscarà.

»E anche tu, anche tu mi devi lasciar perdere!«

»Subito!« fece Muscarà, arrabbiato, alzandosi per uscire.

»Va bene!« fece Giovanni, voltandosi sul letto. »Va bene! Ma non ti voglio vedere nemmeno scritto sul muro!«

Domande

1. Che significato acquista uno sguardo di donna per gli uomini di Catania?
2. Che cosa scopre in Giovanni lo sguardo ammirato di Ninetta?
3. Quali prove fanno i giovanotti per rendersi certi dell'interesse di Ninetta per Giovanni?
4. Quale atteggiamento assume Giovanni per nascondere il suo amore per Ninetta?
5. In che modo si distingue il sentimento per Ninetta dal concetto solito della donna?
6. Perché la vecchia casa di Giovanni non è più adatta alla sua nuova situazione?

6

Giovanni si ritirò in un *sobborgo* di Catania, Cìbali, che era composto di un centinaio di case con giardinetto, collegate alla città da un vecchio tram. Aveva *preso in affitto* una villetta di sei stanze con la cucina, il bagno, il giardino, una terrazza, una seconda terrazza, tre balconi, una terza e quarta terrazza, e infine, su quest'ultima, una piccola torre, che con una piccola quinta terrazza, era in grado di tenere una persona quasi al livello del *campanile* e dentro il fumo del *comignolo.*

Giovanni prese con sé un cameriere, un brav'uomo, nato a Catania, che aveva prestato cinque anni di servizio a bordo di una nave da guerra. Parve costui a Giovanni un cameriere »messo su con tutti i sacramenti«, e gli piacque il nome Paolo.

Il padrone della nuova casa di Cìbali gli regalò un grazioso gattino d'Angora.

Le cose andavano bene, nei primi giorni. Paolo serviva a tavola coi guanti e la *giacchetta* bianca e rispondeva al telefono che era un piacere. Giovanni pregò molti amici di chiamarlo al mattino, in modo ch'egli potesse godersi dal letto, le frasi gravi ed eleganti con cui il cameriere evitava di rispondere che il suo padrone era a letto, senza però promettere che egli verrebbe subito all'apparecchio. »È meraviglioso!« mormorava Giovanni, agitandosi contento sul letto.

---

sobborgo, quartiere fuori del centro di una città
prendere in affitto, avere per es. una casa, per un certo periodo, pagando al padrone una somma stabilita
campanile, comignolo, vedi illustrazione pag. 49
giacchetta, giacca corta e leggera

Ma, come fu e non fu (in tal modo s'iniziano i tristi racconti a Catania), quest'uomo meraviglioso divenne a un tratto . . .

Ecco cosa divenne: improvvisamente si stancò e non ebbe più voglia di fare niente. Lasciò che le dita uscissero dai buchi dei guanti; si riempì di macchie che, solo dopo una settimana, perdevano il cattivo odore dei cibi di cui provenivano; prese l'abitudine di maledire tutto quello che gli capitava fra le mani. Chiuso in cucina insieme con gli oggetti del suo odio, era difficile cavarlo fuori con suoni di campanello o urlandone il nome. Paolo veniva *raramente* alla presenza del suo padrone.

Né si fermò a questo punto.

Giovanni voleva bene al gattino d'Angora, che era fornito d'ogni grazia. Nel primo mese, il gatto entrava, al mattino, bell'e lavato, insieme con l'elegante cameriere, e saltava sul letto di Giovanni. Ma dopo quel mese, entrò sporco e umido di non si sa che, e lasciò la sua traccia nera sulle *coperte*. Anch'esso era caduto nell'odio del cameriere. Poco o nulla comprendendo dei sentimenti umani, il gatto, all'alba, gli veniva incontro e saltava sulle ginocchia di Paolo, il quale lo prendeva e calava due o tre volte nell'acqua sporca.

Giovanni non diceva nulla: ormai aveva dato fondo al suo potere di offendersi e di litigare. Invece, diventava sempre più capace di non vedere le cose che gli stavano intorno. In questo, lo favoriva la solitudine, lo favoriva il silenzio, e lo favoriva anche il fatto che nes-

---

raro, non frequente
coperta, panno che serve per coprire qlco.

suno apparisse quand'egli suonava il campanello o chiamava. Del resto, quegli esseri, che ora si presentavano a lui brutti e sporchi, il cameriere e il gatto, erano stati belli poco tempo avanti, e conservavano tuttavia qualche segno della loro nobile origine.

Giovanni andava a Catania ogni mattina, per immergersi un attimo nello sguardo di Ninetta (proposito che raramente non riusciva), e subito tornava a casa. Lo sguardo di Ninetta, una volta raggiunto il viso

di lui, vi rimaneva sino all'alba dell'indomani. Ma, all'alba, si era già consumato! Giovanni, spaventato di non ricordarla più, tornava a Catania, e sbatteva qua e là per le strade come un uccello in cerca di cibo.

»Dai suoi occhi,« diceva a se stesso, sdraiato nel giardinetto, »pare che guardino le più gentili donne del mondo nel momento in cui hanno amato di più, sofferto e avuto pietà!«

Il suo cervello produceva, milioni di volte in un minuto, il nome di Ninetta! Per quanto si impegnasse con tutte le forze, non riusciva a fermare quel cervello impazzito. Parve, una notte, che la vita di questo gentiluomo di trentanove anni, il quale, per giunta, era stato nominato da un giorno cavaliere della Corona d'Italia, dovesse fermarsi e totalmente versarsi al di fuori pronunciando il nome di Ninetta. L'alba, per fortuna, portò la calma al suo cervello.

La notizia che gli era stato concesso quell'onore dal Governo del Re, gli fu recata fino a Cìbali dal cavaliere di Malta Panarini, suo nuovo amico. Perché Giovanni aveva cambiato amici, benché questo riesca difficile nell'età in cui allontaniamo il libro per leggerlo meglio.

Ma gli antichi amici, coi loro discorsi volgari sulla donna, non facevano più per lui! E poi, bisogna pure dirlo per difenderli, non era facile camminare al fianco di Giovanni. Al pari di tutti i catanesi innamorati, quando vedeva apparire a distanza la figura di Ninetta o un'amica di lei, egli veniva preso da paura. Nulla era al suo posto per Giovanni, specie nell'atteggiamento e nel vestito dell'amico, quand'ella appariva: »Voltati!« gridava egli. »Non guardare! . . . Nascondi il giornale! . . . Mettiti il cappello! . . . Non parlare!« Ora, i vecchi amici non avevano tanta pazienza da sopportare e comprendere Giovanni. Nessuno era in grado di comportarsi come il cavaliere Panarini, che, afferrato dal cavaliere Percolla, e costretto a voltarsi, a calarsi il cappello sugli occhi, a nascondere il giornale, a non ridere, a non parlare, mormorava semplicemente un: »Capisco! Capisco!«

Giovanni si liberò dai vecchi amici e cercò i nuovi fra gl'innamorati di Catania. E innamorati non di fresca data, ma antichi e fedeli innamorati. Abita in loro, da venti o trent'anni, un amore non confessato. I loro modi sono *fini*.

Come fece a trovarli? Eh, un occhio esperto li distingue subito in mezzo alla folla comune! Come s'innamorano? In maniera molto semplice: videro e s'innamorarono. Di chi? Quasi sempre di una donna rara o per ricchezza o per sangue o per gloria.

Entrando, verso le undici, nel caffè principale, Giovanni aveva sempre visto il cavaliere di Malta Panarini Galed. Vent'anni fa, la figlia del principe Arosio sorrideva dal balcone a questo giovane sottile. Poi ella sorrise sempre di meno, e in ultimo sposò un vecchio *duca*. Vent'anni continui di amore hanno *privato* la vita di Panarini di molti episodi. Un uomo non può, nello stesso tempo, agire e ricordare: Panarini ha preferito ricordare.

Un altro personaggio nel caffè era il signor Laurenti, che amava, da trent'anni, la più ricca signorina della provincia.

Giovanni non aveva mai dato eccessiva importanza a questi personaggi. Ma un giorno, incontrandosi sulla porta di questo caffè Giovanni Percolla e Alberto Panarini, si fermarono, si sorrisero, si strinsero la mano, confessarono di aver trascorso la vita dicendo ciascuno della faccia dell'altro: »Questa faccia non mi è nuova, e mi è molto simpatica!«

Panarini lo introdusse agli altri innamorati di Catania: uno dopo l'altro, egli li conobbe tutti. Voci nuove e tranquille gli diedero del tu, ed egli si trovò a rispon-

---

fine, qui, che ha buon gusto o buone maniere
duca, titolo nobile che segue quello del principe
privare, togliere qlco. a qlcu.

dere tu a persone di cui spesso dimenticava il nome.

Comunque, fra questa gente, si respirava un'aria diversa. Il silenzio, i sentimenti gentili, l'amore per la musica e per certi poeti non rendevano mai volgari questi animi.

Domande

1. In che cosa si manifesta »il nuovo modo di vivere« di Giovanni?
2. Che effetto produce su di lui l'amore per Ninetta?
3. Come sono i nuovi amici di cui ora si circonda?

7

La luna di quell'agosto sarà ricordata, a Catania, per molti anni: rese dolci i *costumi,* e spinse l'amore così lontano che anche l'amico Monosola ne fu cambiato. In parecchi, il termine fu unico: Maria Antonietta dei Marconella. Ma questo non dispiaceva troppo a Giovanni, che non riuscì a sentire rancore contro persone che non dormivano, non mangiavano, e non avevan mai rivolto la parola all'oggetto dei loro sogni.

Quando il vento del *settentrione,* carico dei freschi odori della montagna, caccia via le nebbie *notturne,* oh, allora, la luna d'estate di Catania è più forte che non sia il sole di Germania nel pieno mezzogiorno.

Giovanni Percolla ebbe in sorte questa luna in un momento tanto delicato della vita. Non dormiva un solo istante durante la notte; egli riposava due o tre minuti ogni mezz'ora, seduto e anche in piedi.

Si confidò con Panarini, ma nemmeno costui riusciva a dormire. E Laurenti disse con un sospiro: »Io! . .« E si fermò.

»Tu? . . .« fece Giovanni.

»Io, ogni sera, *inghiotto* una palla nera che mi porta giù nel sonno come in fondo al mare.

Gl'innamorati di Ninetta, e fra questi Monosola che, camminando su una gamba di legno, riempiva di un sordo rumore la strada dove abitavano i Marconella, sbadigliavano la sera infelicemente come cani alla catena. Monosola disse la verità a Giovanni: »Io m'at-

---

costume, modo, abitudine
settentrione, nord
notturno, di/della notte
inghiottire, far passare il cibo dalla bocca nello stomaco

tacco alla bottiglia del Serenol, prima di andare a letto, e lo bevo come se fosse acqua!«

»E riesci a dormire?«

»Nelle prime ore, sì! . . .«

Dopo questa confidenza, Giovanni acquistò una bottiglia. Ne bevve un bicchierino, e andò a letto. Subito, entrò nel sonno, e vi rimase quattro ore.

La notte seguente, non dormì che mezz'ora. E l'altra notte, non chiuse occhio.

»Ma tu devi conoscerla!« gli disse Panarini. »Ti presento io! Questa sera, andremo a un ballo in un caffè di Ognina, e poi ai bagni . . .«

Ma quella sera il caffè di Ognina, pieno di tutti gl'innamorati di Ninetta, non la vide.

Giovanni tornò a casa, camminando innanzi a tutti, con le mani sul *dorso.*

Da quella sera, egli entrò nella vita *mondana.* Con una giacchetta verde chiaro, frequentò il ballo notturno di Ognina: E finalmente, fu presentato a Ninetta dei Marconella.

Panarini gli era al fianco, e, fingendo di appoggiarsi al braccio di lui, in verità lo sosteneva. Giovanni disse poche parole, e abbastanza serenamente. La sua conversazione con Ninetta fu delle più comuni, e qualche volta delle più fredde; ma il dolce sorriso di lei portò la mente di Giovanni ad abitare nei cieli come in casa propria.

Amava Ninetta da mille anni: ella era stata tutte le donne più belle, ed egli tutti gli uomini più famosi. Una notte che egli era Giulio Cesare, e andava a Ni-

---

dorso, schiena
mondano, qui, proprio della società elegante

netta Cleopatra, entrò distrattamente in una casa per appuntamenti; e scelse, stranamente, la ragazza più brutta. Da quando amava la bella toscana, si vergognava di apparire nudo davanti alla Bellezza, quasi che lo sguardo di Ninetta splendesse nello sguardo di tutte le donne che non fossero brutte. Per soddisfare certi bisogni, egli andava in cerca di un sesso estraneo a lui e a Ninetta, e ch'era quello delle donne più prive di grazie.

»Anch'io!« confessò Panarini. »Anch'io!«

»Ah, anche tu?« disse Giovanni. »Com'è strana la natura!«

Giovanni si recò al *lido* ove Ninetta prendeva i bagni.

Egli non osava avvicinarla, e si sdraiava sulla sabbia, insieme con altri innamorati, a duecento metri da lei.

Al mare, incontrò Monosola che camminava, tirandosi dietro la gamba rigida, verso un punto della spiaggia dal quale la piccola macchia azzurra, in cui la distanza aveva ridotto Ninetta, avrebbe forse mostrato qualcosa di umano. »Ci siamo tutti!« esclamò Monosola.

»Eh, ci siamo tutti,« consentì Giovanni.

»Dio mio, Dio mio!« fece un giorno Panarini. »La ragazza dice che sei poco gentile, che non l'avvicini, e non la saluti nemmeno!«

Giovanni tremò. Ma l'indomani *navigava,* coi piedi nell'acqua, silenzioso, grosso, nero, immobile, sul *»moscone«* dei Marconella.

E così fece ogni mattina, senza pronunciare mai una parola, salvo alcuni »prego, grazie, buon giorno, sì,

---

lido, spiaggia
navigare, viaggiare con nave
moscone, vedi illustrazione pag. 56

no«. Erano i momenti migliori della sua vita (questo egli lo sapeva), ed erano momenti terribili. Quando una mano gli si posava sulla spalla, e dall'alto gli giungeva: »Permettete?« ed egli, senza muovere il capo, vedeva che erano la mano e la voce di lei già in piedi per *tuffarsi* nell'acqua, tutto il mare gli si *vuotava* e il moscone pareva scendere in silenzio verso il fondo della terra.

Una sera giunse a Cìbali Panarini, grave in volto come se dovesse comunicare la morte di qualcuno.

»Cosa c'è?« fece Giovanni.

Panarini non rispose subito; poi mormorò lentamente:

»Tu devi dirle qualche cosa! . . . Eh, insomma!«

»Ahi!« esclamò Giovanni, colpito al cuore dai nuovi doveri che il progresso del tempo e delle circostanze gl'imponeva.

---

tuffarsi, immergersi
vuotare, render vuoto

»Parla, aprila questa bocca! Dio ci ha dato la parola!«

»Parlerò, sì,« mormorò Giovanni, nel fondo del petto.

Ma l'indomani fu uno dei giorni più silenziosi della sua vita.

Il giorno dopo, e tutti gli altri giorni, le cose non andarono meglio. E fra poco la stagione dei bagni si chiudeva! . . .

Giovanni, viaggiando verso Cìbali, insieme a quel se stesso che non aveva pronunciato una parola, come insieme a uno sciagurato bambino che non si è potuto picchiare in pubblico, e si ha fretta di riportare a casa, si diceva intanto a bassa voce le parole più dure. C'era, dentro di lui, un Giovanni ch'egli odiava e giunto a casa si sbatteva la testa contro le porte e gridava fuori di sé, pur adorando la propria madre: »Figlio di . . .!«

Fortunatamente giunse a Catania un Parco di Divertimenti, che piantò le tende nella piazza del giardino pubblico.

Le occasioni di vedere Ninetta si moltiplicarono.

Domande

1. Come affrontano la notte gli innamorati di Catania?
2. Attraverso quali battaglie deve passare Giovanni per avvicinare Ninetta?

8

L'ingresso del giardino pubblico brillava di lampade di vari colori. Questa luce cambiava forma ogni minuto, ora disegnando animali ora ritratti di uomini celebri, oppure scrivendo parole d'invito al popolo di Catania, e infine, la *réclame* del Serenol: »Prendete il Serenol e dormirete!« (Fin dal terrazzino di Cìbali, nella sedia con la quale aveva cambiato l'inutile letto, Giovanni vedeva, entro il cielo di Catania, quella scritta luminosa.)

Nella piazza del giardino, i cittadini venivano invitati a salire come palle verso il cielo, a sparare, ad aver paura, a ridere, e, se potessero, ad approffittare di un momento di buio con la donna amata.

La prima sera, la folla passò silenziosa davanti ai *banconi,* mormorando gli uomini alle donne che quasi si nascondevano dietro di loro: »Non è una cosa per signore!« Ma la seconda sera, essendo il principe di Rocella montato su una macchinetta da corsa con la figlia, la folla ruppe le righe con un grido di gioia, il parco si riempì di pallidissime facce e disperate grida.

Volarono le vesti: in alto si scorgeva di sfuggita due gambe di ragazza, e subito la folla crebbe.

»Ci son tutte! Vieni anche tu,« disse Panarini a Giovanni.

»C'è anche lei?«

»Ma ci sarà anche lei!«

La sera, Giovanni e Panarini si confusero con la folla

---

réclame, qui, scritta luminosa che serve a richiamare l'attenzione su una merce che si vuol vendere
bancone, tipo di mobile a forma di tavolo lungo e alto, chiuso fino a terra da una parte. Si trova per es. in negozi.

dei soldati e dei borghesi. Intorno a una *giostra,* ove i *carrelli,* aperti davanti, si muovevano rapidamente sbattendo una volta a destra una volta a sinistra, si riuniva la folla più fitta.

»Guarda! Guarda!« diceva un giovanotto dagli occhi velocissimi. »La figlia del generale si stringe!«

»Eh, si stringe ch'è una bellezza!« diceva un altro.

»Uh, uh, uh! E dove l'ha cacciata, la mano?« faceva un terzo.

»Chi?« domandava un quarto.

»Lui!«

»Già, già, già! Madonna santissima!

»Vero è! Vero è! Sono morto!«

»Sono cadavere secco entro il vestito!«

La giostra si fermava.

»Me ne vado!« disse colui che aveva parlato per primo.

»No, aspetta! Quest'altra partita è più bella! Ora sale la Marzacane! E che vuoi perdere, la Marzacane?«

La Marzacane, difatti, prendeva posto in un carrello, tenendosi, con una mano, il *lembo* della veste.

La giostra si mosse, e la Marzacane, come tutte le altre, portò una mano alla bocca per non gridare, lasciando le vesti al vento della corsa.

Giovanni e Panarini si allontanarono col naso in su e le mani sul dorso.

»Tutte ci sono, tutte!« mormorava Panarini. »Ma lei no!« aggiungeva fra sé.

E andarono.

»Non ci verrò mai più!« dichiarò Panarini.

»Ah, mai!« disse Giovanni.

---

giostra, carrello, vedi illustrazione pag. 60
lembo, parte estrema

E invece vi tornarono ogni sera. C'erano tutte: perché, quella sera, non avrebbe dovuto esserci anche lei?

E intanto avevano trovato qualcosa che favoriva il loro sottile rapporto. Infatti, dal punto più alto di una giostra volante si vedeva, piccola per la distanza, la terrazza interna dei Carosio, con un balcone quasi sempre socchiuso. Panarini, benché soffrisse terribilmente il mal di mare, saliva ogni momento nell'aria ove rimaneva sospeso per un attimo: di qui gettava, verso la terrazza, uno sguardo che lo riempiva di gioia. Poi, mentre lo stomaco gli si vuotava, precipitava in basso fra le braccia di Giovanni che lo accoglieva sul petto, dicendogli: »Non ci andare più!«

Una sera, Panarini gli toccò una spalla, dicendogli nell'orecchio: »È qui!«

Giovanni si mise a correre per la folla, seguito con difficoltà da Panarini.

Quella sera, nel Parco dei Divertimenti, c'era un nuovo *baraccone:* la Casa degli *Spettri.*

Si prendeva posto, di solito in due, uomo e donna, nello stesso carrello che entrava nella casa misteriosa: la porta si chiudeva, come per un colpo di vento, dietro al carrello, e la coppia faceva un lungo giro nel buio, fra orrori d'ogni specie. Dopo alcuni minuti, un'altra porta si spalancava, e il carrello precipitava fuori. I due avevano un volto strano: pareva volessero conservare il segreto su ciò che avevano veduto; e non davano a capire se si fossero divertiti, spaventati, annoiati ...

Giovanni capitò nel gruppo di Ninetta e amici, proprio davanti alla Casa degli Spettri.

»Ci andiamo?« dicevano alcune voci femminili. I giovanotti si guardavano.

»Oh!« fece Ninetta, con la sua dolce voce. »C'è il signor Giovanni Percolla!« E mettendogli il braccio nel braccio: »Mi accompagnerà lui! Andiamo!«

---

baraccone, grande baracca, specialmente per spettacoli nei mercati
spettro, immagine viva di qualcuno che è morto

Panarini, nell'attimo che impiegò per dargli una spinta, mormorò nell'orecchio di Giovanni alcune parole, dette nel più basso e corto modo possibile: »Coraggio, trattasi tua felicità.«

Giovanni non rispose nulla. Entrando nella Casa degli Spettri, buio nel volto, deciso, come non era stato mai, si ripeteva fra i denti: »Questa volta, me la mangio!«

Prese posto nel carrello, vicino a Ninetta, di cui sentiva così forte l'odore che gli pareva di averla già mangiata e tenerla tutta dentro il sangue.

Ma in quel momento si apre una porta, e il carrello vi entra. Si richiude la porta, e si scivola nel buio. Non esiste più nulla per Giovanni; la storia del mondo è una bugia, ed egli l'ha già dimenticata; cose ben più grosse ne hanno preso il posto e sono la mano, il ginocchio, la spalla, i capelli di lei.

D'un tratto il carrello si ferma, e la Casa degli Spettri manda uno strano rumore: le porte sbattono; si sentono le catene; lo spettro s'illumina a metà; e il carrello riceve colpi secchi.

Ma nella Camera dello Spettro è avvenuto un fatto immenso: probabilmente, la mano di Giovanni è dentro le mani di Ninetta!

Ma di ciò Giovanni non è sicuro. Anzi, può trattarsi di qualcosa totalmente diverso: che la mano di Ninetta si trovi fra le sue. Domandategli poi se è la destra o la sinistra, se il carrello si muove o sta fermo: egli non sa nulla! Unicamente sa che la battaglia contro il proprio silenzio e la paura è finalmente terminata. Il suo passato è diventato così chiaro nei minimi fatti ch'egli può dire di trovarsi ancora in tutti i luoghi ai quali è passato, e di non essere né più giovane né più vecchio di tutte le età che gli è toccato di avere prima di giungere ai quarant'anni ... È il padre che parla: tornano in fila tutti i discorsi del padre, perfino il primo, che Giovanni non aveva ricordato, e forse mai sentito chiaramente.

»Questo bambino non somiglia né a te né a me. Non siamo mai stati così brutti né tu né io!«

»E allora perché gli vuoi bene?«

»Il diavolo lo sa! È una cosa del diavolo!«

»Ma vedrai che si farà bellino!«

»Da che parte, deve farsi bellino? Se non c'è nulla da pigliare, maledetto Giuda?«

Camera da letto, porta aperta e, nel fondo, un'altra camera coll'immagine della Sacra Famiglia sul letto a due, da dove si vede ogni tanto emergere la testa del padre che dice:

»È il mio unico figlio maschio, è la luce dei miei occhi, mi piace tutto quello che fa; è simpatico, sa parlare, sa muoversi, sa star zitto; è un re davanti agli altri, ha l'aria di un re ...«

Di prima sera. Egli esce a far prendere un po' d'aria a un piccolo cane nero legato al *guinzaglio.* Torna, dieci minuti dopo, col guinzaglio rotto fra le mani, e i denti che gli battono; la povera bestia è stata uccisa da un'automobile. Le mani sentono ancora il suo pelo caldo. La notte, sente qualcosa saltargli alle gambe. È l'ombra del cane? Pensieri sulla morte. Giunto egli nell'altro mondo, uno spettro di cane, che lo attende da molti anni, si leva e gli fa una silenziosa festa ...

»Ma insomma, sciocchezze!« dice Muscarà.

---

guinzaglio, corda che si lega al collo di un animale domestico perché non scappi

Migliaia, centinaia di migliaia di discorsi sulla donna gli tornano all'orecchio. »Lei, hu, ah, lui, così no, la mano, la gamba . . .!« Occhi fuori della testa. »Signora, vi presento il mio amico Scannapieco!«

Scannapieco sorride, e non dice una parola. Quando la signora s'allontana Scannapieco si butta sull'amico, per far sentire in quale terribile stato si trova, a causa di quel pezzo di signora . . .

E quante volte sono state create fantasie su immagini di donne nude! . . . Ma cos'è, in fondo, il petto delle donne? Perché tante ore di discorsi su come è fatto? . . . Ore che, sommate, formano giorni, mesi, e forse anni!«

D'un tratto, un gesto molto delicato e leggero, come il colpo di un'ala d'angelo su una parte malata, toglie Giovanni da queste immagini calde e rosse. Una pace infinita s'è fatta fra lui e la donna, sente un profumo sottile vicino alla bocca, colpita dal *respiro* frequente di Ninetta.

Cos'è accaduto di nuovo?

Un colpo muove il carrello; e, con un grido selvaggio di campanelli Giovanni e Ninetta escono per la porta spalancata.

»Dio mio, che hai?« gli dice Panarini.

Giovanni, asciugandosi una lagrima fredda, che gli è scivolata dall'occhio che non piange, risponde: »Sono felice!«

»Ma cos'è accaduto?« domanda ancora Panarini.

Già: cosa è accaduto? Giovanni non lo sa bene. »Hai uno specchietto?« dice all'amico.

»Uno specchio?«

---

respiro, il respirare

Giovanni vorrebbe guardarsi in viso per scoprire se Ninetta lo ha baciato veramente.

»Ho del *rossetto*?« dice a bassa voce.

»Rossetto?« fa l'amico e lo osserva attentamente con gli occhi in giù, come un medico: »Non c'è nulla!«

»Dio mio, che abbia sognato?« pensa Giovanni.

Ma Ninetta lo chiama: egli si stacca dall'amico e si reca da lei, »Giovanni«, gli mormora la ragazza, mettendogli una mano sul braccio, »cosa pensi?«

»Tu? . . . Tu! . . .«

Non credendo alla propria bocca ripete quella parola che a lui sembra infinita: »Tu . . .«

Domande

1. Che cosa rappresenta l'arrivo del Parco di Divertimenti a Catania?
2. Come procede il piano di conquista di Ninetta?
3. Quale corso seguono i ricordi di Giovanni nella Casa degli Spettri?

---

rossetto, sostanza che colora di rosso le labbra

9

Fidanzati, dunque. Il padre di Ninetta era *orribile* quanto lei bella. Ma le sere, in casa del *suocero,* erano straordinariamente piacevoli. Vicino alla finestra, con la lampada spenta, e il cielo pieno di stelle, Ninetta gli alzava la grossa mano, e dava un nome a ogni dito. Il nome delle sue libertà. »Tu non sarai come gli sciocchi di qui. Non mi farai il geloso! Voglio essere sincera con te: io non avrò mai, mai un amante, ma desidero le mie libertà perché sono nata e cresciuta libera!«

Ed ecco: *Pollice:* libertà di uscir sola; *indice:* libertà di andare in montagna con gli *sci; medio:* libertà di fare un

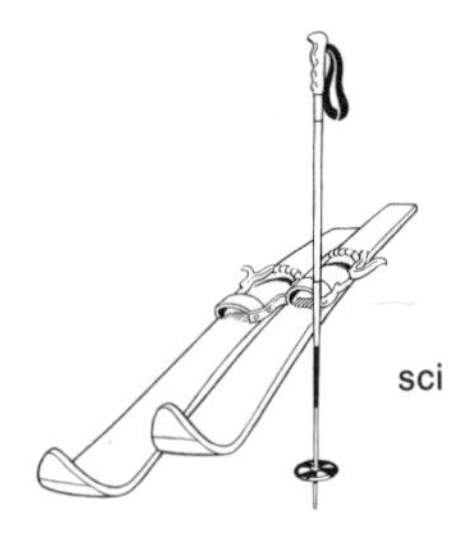

viaggio ogni anno; *anulare:* libertà di andare a cavallo; *mignolo:* libertà di disporre i mobili della casa secondo il proprio gusto, perché la regina della casa è la donna.

Dopo avergli nominato in tal modo le dita, Ninetta gliele stringeva forte, e se le poneva sotto la bocca. Giovanni guardava davanti a sé la propria grossa

---

orribile, che suscita orrore
suocero, padre della moglie o del marito
pollice, indice, medio, anulare, mignolo, nomi delle dita della mano

mano e il fatto che si trovasse fra quelle di lei gli sapeva di miracolo.

Ninetta fu talmente presa da questo gioco della mano che qualche volta, per la strada, gli prendeva il medio o l'indice, e, levandolo sino all'altezza degli occhi di lui, diceva: »E questo?«

Nei primi tempi, Giovanni non si mostrò molto bravo: confondeva la libertà del medio con quella del pollice, e non ricordava la libertà del mignolo. Ma in seguito, non sbagliò più. Medio? Libertà di fare un viaggio ogni anno.

Una sera, Ninetta si fece aspettare a lungo. Nella camera buia, Giovanni conversava col suocero. Parlavano degli uomini in generale. »Ladri!« diceva il marchese. »Tutti ladri! Mi credi che non ho mai incontrato un uomo onesto?«

»Io, per esempio, non ho rubato mai nulla!« faceva Giovanni.

»Non lo so! . . . Perdonami, caro: Non credo più a nulla! Non hai rubato, tu dici . . . Ebbene, lo so io? Nessuno ti ha mai accusato, questo è certo!«

D'un tratto arrivò Ninetta: era agitata, parlava con tono di rabbia, e volle subito che s'accendesse la lampada.

»Che cosa c'è?« fece Giovanni.

»Nulla, mio caro!«

A cena, Ninetta non disse una parola, e toccò appena i cibi.

Finalmente sul tardi, Ninetta spiegò le ragioni del suo malumore. Aveva incontrato l'amica Luisa Carnevale, che non vedeva da tre anni, dal giorno in cui s'era sposata. Dio, che viso! Quei tre anni se l'erano consumata. Lei milanese, lui di Palermo! . . . In verità, avevano anch'essi, quando erano fidanzati, scritto una carta con dieci libertà per lei. C'erano anche per Luisa le libertà di andare a cavallo e di correre sulla neve . . . Egli s'era mostrato un angelo prima che si fossero sposati. Ma dopo il matrimonio, un'espressione sfacciata e cattiva si era posta sul viso di lui: subito aveva imposto le sue leggi di antico siciliano; le più nere e terribili. La chiuse a chiave. A chiave! E quando Luisa gli mostrava la carta firmata da lui tante volte, il marito diceva a una ragazza come Luisa, educata in Svizzera insieme alla principessa del Belgio*: »Libertà di andare a cavallo? Vieni pure: ecco il tuo cavallo, cara!« E seduto, com'era, alzava e abbassava le ginocchia, come si fa coi bambini.

Giovanni si mise a ridere con la sua grossa e buona risata: »Oh, io non sarò così, puoi credere!«

Poiché erano al buio, Ninetta andò ad accendere la luce per guardarlo in viso: temeva forse di trovargli quell'espressione »sfacciata e cattiva«, di cui Luisa aveva parlato tremando come una foglia: vi trovò invece una tale bontà, una tale abbondante serie di sì, che aprì le braccia dalla gioia e gliele strinse intorno al collo.

Giovanni abitava ancora a Cìbali, nell'aria del mare e dei giardinetti di limoni. Barbara gli aveva mandato inutilmente un bigliettino: »Torna nella casa di tuo padre!«

»Ormai quello che è fatto è fatto!« aveva risposto Giovanni.

Ma questo suo modo di comportarsi (caso straordinario) non piacque a Ninetta. »Io desidero,« disse la

---

* Maria José, poi regina d'Italia

ragazza, »desidero conoscere le mie cognate! Ho saputo che sono tanto brave.«

»Sì,« mormorò Giovanni, »sono brave, ma la nostra casa, un po' all'antica . . .«

»Che vuol dire? Le case non devono essere per forza moderne: basta che siano pulite!«

»È quello che io dico!« pensò Giovanni, rivedendo, con la mente, una dopo l'altra, tutte le scatole vuote e le bottiglie di cui erano pieni gli armadi e i tavolini.

Comunque fu necessario avvertire Barbara che l'indomani sarebbe venuto con la fidanzata.

»E anche col padre, col marchese!« disse Lucia. »Non potranno certo venir soli, due fidanzati! . . . Anche col marchese!«

La confusione nella casa cresceva. Per la grande emozione, dopo un lunga serie di prove sul modo di aprire la porta, la vecchia cameriera *svenne* e cadde a testa in giù sul tappeto.

»Ha la febbre, Dio mio, ha la febbre!« disse Rosa. »Bisogna metterla a letto!«

L'indomani, Giovanni e Ninetta, entrando nel corridoio buio, videro una figura con le coperte del letto sulle spalle. »È la cameriera!« spiegò Lucia; e aggiunse, nell'orecchio del fratello: »Sta male; si alza ogni momento . . . perché sta molto male!«

»E il marchese?« domandò Barbara, guardando nella scala buia.

»Papà non è potuto venire!« disse Ninetta. »Si scusa tanto!«

»Siete soli?« fece Barbara, non ancora decisa a richiudere la porta.

---

svenire, perdere i sensi

»Sì, sì,« rispose Giovanni. »Andiamo nel salotto.«

Tutte le lampade della casa erano state riunite nel salotto.

»Spegniamo queste!« disse Giovanni, riportando il buio in tutta una fila di vetri.

Sedettero; le tre sorelle davanti a Ninetta. Dicevano poche parole e la fissavano in silenzio. Giovanni, in piedi, si stringeva le mani, pur non sapendo darsi ragione di questo disagio. Gli pareva che, dagli occhi delle tre donne, si affacciassero i più vecchi e tristi animali domestici e guardassero Ninetta con uno sguardo stanco e senz'affetto. Sentiva poi il vecchio odore del proprio sonno dormito a pomeriggi interi, nella camera accanto, e notava una quantità infinita di *minuzie* fuori posto che gli faceva bruciare il viso di vergogna. Guarda Ninetta, ma lei sorride e non si accorge di nulla. Del resto è arrivato il momento di andar via, e tutti si sono alzati.

Barbara chiama in un'altra camera Giovanni:

»Fratello mio, sentiamo la tua mancanza! ... Ma non è per questo che ti ho chiamato. Per quanto ti sta a cuore, ascoltami: non è giusto che andiate soli, tu e lei! La gente ha la lingua lunga. La portinaia mi ha detto: 'Può essere che la fidanzata sia ancora signorina, se vanno soli per le strade?'«

»Mio Dio, Barbara!« fece Giovanni, e uscì con violenza dalla camera.

»Si va, caro?« disse Ninetta, infilando i guanti.

»Subito!«

In ottobre, da Siena giunse la *suocera,* una graziosa

---

minuzie, cose di poco conto
suocera, madre della moglie o del marito

donna, che andava avanti a colpi secchi e forti della sua testina bionda, grigia e sorridente. Ripeteva alla figlia: »Che felicità sposare un vero siciliano! A me, ne è toccato uno falso! Non ricordo un solo momento di gelosia, da parte sua!« Le piaceva molto trattare le cose come se fossero diverse da quelle che erano.

»Mamma, che vai dicendo?« gridava arrabbiata Ninetta. »Papà non può essere siciliano, se è nato a Perugia, e suo padre è nato a Venezia!«

»Ma a me disse, in verità, che aveva sangue siciliano nelle vene . . . almeno da parte della madre . . . Poi, non ricordo più: son cose di tanti anni fa! Ma, Dio mio, avrebbe potuto essere un po' geloso!«

Ninetta, a cui dispiacevano molto tali discorsi, temendo che il fidanzato si mettesse su una cattiva strada, gli stringeva con le unghie la mano, quella grossa e brava mano, in cui erano scritte le libertà. »Uhrrr!« faceva il marchese, svegliandosi, e tirando fuori dal confuso mucchio del proprio corpo la testa orribile e buona.

»Il marito!« continuò quella graziosa vecchia. »Cos'è? Io mi domando, dopo trent'anni: cos'è? I figli, il padre e la madre sono lo stesso tuo sangue! Ma il marito? Com'è strano, certe volte, pensare cos'è il marito! E tuttavia gli si vuole tanto bene!«

E ch'ella gli volesse bene, appariva chiaramente dallo sguardo affettuoso, furbo e gentile che si dirigeva dai suoi occhi su quella poltrona piena di carne umana.

Giovanni era felice, buon sangue non mente; se vuoi capire la figlia, guarda la madre! E se la madre era capace di mandare uno sguardo così vivamente affettuoso su un uomo come il marchese, egli, Giovanni, che al confronto del marchese era un Apollo, avrebbe potuto diventar grasso e brutto e perdere i capelli tranquillamente sotto gli occhi di Ninetta! Ne avrebbe sempre ricevuto uno sguardo pieno d'affetto. Che gente fine, santo cielo! E come rimanevano graziose le donne, in quella famiglia! Gli veniva voglia di buttarsi a faccia per terra e ringraziare Dio!

Come, del resto, faceva il suo cameriere, nella casa di Cìbali. Il vecchio Paolo aveva di nuovo cambiato le sue abitudini, ma sempre in direzione opposta al lavoro. Il parroco di Cìbali era riuscito a fargli confessare tutte le *parolacce* di cui era piena la sua vita. Il vecchio doveva ripetere cento »Pater Noster«, cinquanta »Credo« e quaranta »Ave Maria«. Ma egli ne ripeté un numero infinito. Siccome il parroco non aveva toccato l'argomento della pulizia, egli era rimasto sporco, e le immagini sacre portavano tutte la traccia delle sue dita.

Siccome il gatto d'Angora la mattina gli saltava sul letto e gli si metteva sotto la schiena, egli non osava alzarsi finché la piccola bestia teneva gli occhi chiusi, per non interromperne il sonno.

»Meno male che questo sta per finire!« gridava Giovanni, dalla sua camera, suonando inutilmente. (Si riferiva alla circostanza che si sarebbe fra poco sposato.)

Le nozze erano fissate nel mese di giugno. Coll'entrare della primavera, a mano a mano che il giorno stabilito s'avvicinava, Giovanni diventava più felice, debole e *pauroso,* mentre Ninetta (e questo fu una vera fortuna) diventava un diavolo di energia. Con lettere, telegrammi, telefonate, chiedendogli ogni momento se approvasse, e rispondendo egli sì senza capire bene

---

parolacce, parole cattive, volgari, dette per offendere
pauroso, che ha paura

che cosa avesse approvato, ai primi di maggio Ninetta riuscì a stabilire che egli sarebbe entrato in una società commerciale per la *manifattura* dei tessuti, e fece ella stessa una corsa nella lontana città del Nord, per sistemare la casa in cui avrebbe abitato col marito.

Giovanni non riuscì ad avere alcuna notizia sul numero delle stanze, la forma dei mobili, e il colore delle pareti: tutto questo insieme di minuzie costituiva la sorpresa che Ninetta avrebbe fatto al marito.

Intanto, si era a maggio, e bisognava passeggiare per le strade.

I due fidanzati andavano spesso soli per il corso, ma qualche volta li seguivano il marchese e la moglie.

Giovanni non si divertiva per nulla in queste passeggiate, che gli lasciavano per una settimana la lingua amara. I gruppi fermi parlavano chiaramente della Donna; e le facce rosse, l'una vicina all'altra, intorno a colui che parlava, dichiaravano apertamente qual era l'argomento del discorso.

Ogni volta che alzavano le mani in aria, vi disegnavano forme di petti, schiene e altre parti del corpo della donna.

»Come non si vergognano?« pensava Giovanni.

Si arrivava sempre vicino a quei gruppi giusto quando veniva pronunciata la parola più sfacciata. E tuttavia non era questo che faceva soffrire di più Giovanni: le parole sono parole, e, pronunciate in siciliano, forse Ninetta non le comprendeva. Ma gli sguardi di quegli uomini lo mandavano fuori di sé dalla rabbia. Sapeva bene, il nostro Giovanni, che volessero dire quegli occhi. Sapeva, anche, che, al loro passaggio e a

---

manifattura, il lavoro che trasforma le materie prime in oggetti

quegli sguardi, seguivano discorsi sulla ragazza, e gli uhuh!

Lo aveva preso anche un sentimento ch'era più d'*invidia* che di gelosia. Ricordava, con abbastanza precisione, che ai tempi del suo pieno *celibato* aveva ricevuto, dalle donne guardate e riviste nella memoria, qualcosa di più che ricevesse ora dalla fidanzata Ninetta: qualcosa che eccitava i sensi. Avrebbe voluto, oltre a camminare vicino a Ninetta, stringendole piano la punta delle dita, poterla *trapassare* con mille sguardi, trovandosi egli seduto a mille tavoli di caffè. Perché, in verità, quanto ai sensi, ciò che avveniva non era chiaro, era anzi un po' misterioso: i sensi non si muovevano molto!

Alcuni discorsi di amici già sposati, sulla misteriosa importanza del momento in cui la porta si chiude per la prima volta sui due sposi, e la paura che suscita la paura di lei, finirono di turbarlo ancora di più. Giovanni volgeva uno sguardo penoso alla figura calma e quieta di Ninetta, e più calma e gentile ella era, più gli faceva paura.

Domande

1. In che cosa si esprime il concetto della libertà di Ninetta?
2. Quali aspetti della vita familiare rappresentano da una parte le sorelle e dall'altra la moglie?
3. In quale modo l'ambiente siciliano limita la vita di una donna?

---

invidia, sentimento di chi ammira e nello stesso tempo desidera quello che appartiene ad altri
celibato, condizione di chi non ha preso moglie
trapassare, passare da parte a parte

10

La mattina delle nozze, Giovanni aveva la faccia gonfia: volse le spalle allo specchio e chiese a Barbara, che piangeva come una bambina, di fargli il nodo della cravatta. Finalmente apparve un vecchio che annunziò: »La carrozza è pronta!«

Giovanni partì, con un mazzo di rose sulle ginocchia.

»Non mi piaci!« gli disse Muscarà, che lo aspettava fra gl'invitati, davanti al cancello della chiesa. »Che hai?«

»Nulla!« mormorò Giovanni, con un falso sorriso. Era costretto a confessare a se stesso che, benché facesse tutto quello ch'era necessario alla sua felicità, senza di cui sarebbe stato il più disperato degli uomini, tuttavia quel giorno, il più bello della vita, non poteva dirsi felice. Per giunta, la mattina non era serena: caso straordinario in giugno, tirava un vento forte e carico di sabbia.

Giovanni entrò nella piccola chiesa, e si sentì baciare da mille parti, mentre Scannapieco gli stringeva in tal modo la mano da levargli via il guanto bianco.

»Ma Ninetta perché si fa tanto aspettare?« disse la marchesa.

»Eccola!« disse una voce. Tutti chiusero la bocca. Voci, dal di fuori, ripeterono: »La sposa!«

Giovanni, facendosi strada fra la gente, si recò fuori.

»È meravigliosa! È bellissima! Che occhi!« s'intese dire. »... Cinquemila lire d'abito!« Uno, più fine, disse: »È vestita di luce!«

Giovanni, tenendo giù la coda della giacca, che tentava di volargli davanti agli occhi, offrì il mazzo di fiori alla sposa ed entrò dopo di lei che scivolava, silenziosa e timida, al braccio del padre. Così, offrendo il proprio braccio alla suocera, entrò anch'egli, e poco dopo, si ritrovò accanto a Ninetta, che mandava, a ogni piccolo gesto, il rumore di una foglia d'albero, davanti al sacerdote, ai piedi dell'altare maggiore; mentre si sentiva l'»Ave Maria« di Schubert.

A questo punto, si vide che Giovanni (senza che alcuno, nemmeno lui, lo sapesse) era stato amato lungamente da una vicina di casa, una quarantenne, la quale, in piedi presso l'altare di santa Barbara, scoppiò a piangere così violentemente che lo stesso sacerdote rivolse da quella parte uno sguardo fermo per invitare al silenzio. Ma la donna non poteva tenersi. Fu necessario condurla fuori, e farle bere una tazza di cioccolata.

Dopo la messa, il sacerdote fece la *predica*. »Professore!« gridava a Giovanni, stringendo i pugni. »Bada! Questa è la compagna della tua vita! In guerra, i soldati, prima di affrontare la morte, mi venivano a dire: 'Mia moglie è buona! Mia moglie è bella! Mia moglie è santa!' Ecco cosa mi dicevano i soldati. Bada, professore! ...« Il vecchio, mentre andava su e giù davanti all'altare, sempre coi pugni stretti, disse centinaia di »bada!« continuando a chiamare Giovanni Percolla professore. Finalmente, come un sole che trapassi la più nera delle nuvole, il sorriso trasformò quel viso arrabbiato, e un'espressione dolce andò a posarsi sulla bocca che aveva tanto gridato. »Andate, cari! Andate, sposi *novelli!*«

Tutta la folla respirò sollevata e aprì, intorno al tappeto rosso, un passaggio per gli sposi.

I catanesi hanno la brutta abitudine di parlare a voce

---

predica, discorso che il sacerdote fa ai fedeli in chiesa
novello, che si trova da poco in una certa condizione

alta: Fra i »Bella! Elegante! Che amore!« degli amici, Giovanni distinse alcune voci di sconosciuti: »Non mi piace lui, nella faccia!« »Questo qui non ce la fa!«

Dopo la festa in casa dei suoceri, mentre le serve si lamentavano che la folla degl'invitati non avesse lasciato nulla di nulla per i loro bambini, Barbara si attaccò al braccio di Giovanni e gli respirò nel viso: »Non ci andare a Milano, fratello mio! Quella nebbia e quel freddo non ti faranno bene!«

Giovanni si liberò da lei e tornò da Ninetta, che già infilava i guanti da viaggio. Bisognava partire!

E infatti, un'ora dopo, egli si trovava a considerare con meraviglia la bellissima ragazza che gli sedeva accanto sul treno e la circostanza tanto temuta e finalmente arrivata, che erano soli.

Ma la giornata delle nozze fu l'ultima in cui le vecchie paure e la difficoltà di fare una cosa lungamente desiderata, mettessero Giovanni nella condizione di soffrire quando invece avrebbe dovuto essere felice. Una nuova vita era cominciata per lui, come spesso ripeteva Ninetta.

A Taormina, dove rimasero due settimane, Giovanni ebbe spesso occasione di pensare, con un sorriso, ai discorsi che gli avevano tenuto gli amici già sposati. »Questo era?«

La felicità gli apparteneva in un modo estremo. A sentir lui, si comportava come gli uomini in genere, ma godeva in segreto come un piccolo dio.

E una sera di domenica Giovanni e Ninetta partirono verso il Nord.

Un soggiorno a Napoli; uno più lungo a Roma; ed ecco l'estate piena, ecco il tempo in cui i giovani partivano da Catania per Abbazia.

Giovanni ripassò, con la sposa, sui propri passi di *scapolo;* gli parve di ritrovare a Viareggio i segni che aveva scavato nella sabbia, quando , sdraiato, guardava per ore ed ore i piedi nudi di una ragazza. Protetto dalla compagnia della moglie, egli rivedeva i luoghi della propria solitudine. E ciò nonostante non trovava alcuna tristezza in questi ricordi; anzi, perché non dirlo? gli sembrava che della Donna ce ne fosse più in quei ricordi che nella sua felicità presente. Da che ne aveva una al fianco, la Donna pesava molto di meno nella sua vita. Ninetta era venuta a liberarlo, ma questa sua libertà (diciamolo senza fare alcun torto al suo amore per la sposa) cominciava a dispiacergli.

Spesso, al mattino, uscendo dal profumo leggero dei baci di Ninetta, da tutto quello che avevano di puro, di non reale, i rapporti con lei, egli volgeva le spalle alla moglie, e cedeva a sentimenti che a lungo respinti indietro, diventavano ora *irresistibili.*

E nel frattempo il suo amore per Ninetta non conosceva più limiti, comprendendo in sé tutte le altre tenerezze, simpatie e affetti, dalla sua tenerezza per il gatto d'Angora all'affetto per la giovane madre.

Quanto alla gelosia, in verità, non ne aveva sofferto minimamente fino che, una sera, a Viareggio, tornando al banco di un caffè, presso il quale aveva lasciato la moglie, sorprese due siciliani con gli occhi fissi ai fianchi di lei, che mormoravano, sicuri di non essere capiti:

»No, chista megghiu è! No, questa è meglio! Guarda scemo! Uhuuu!«

---

scapolo, uomo non sposato
irresistibile, a cui non si può resistere

La *collera* gli salì fino ai capelli. »Siciliani, niente!« disse fra sé.

I continentali, come egli chiamava tutti coloro che non erano siciliani, avevano, nei loro modi, negli occhi, nella voce, una fiamma che non bruciava.

»Coi siciliani, no!« disse alla moglie, appena furono ad Abbazia.

»Che cosa, no!« fece la moglie.

»Insomma, dico no per pregarti di non ballare coi siciliani, e di non rivolgergli la parola!«

Ella gli prese, dalla mano destra, il dito al quale era legata una sua libertà.

»Capisco, capisco!« disse Giovanni. »Ma vorrei solo pregarti di non dare troppa confidenza a quella gente. Io li conosco! Se ballano con una signora, e questa ride per tutto il tempo, essi scrivono all'amico di Messina che la signora li ha baciati.« Alzava la voce, cedendo alla violenza che ci anima quando parliamo male di noi stessi.

»Ma tu hai fatto così?«

»Lasciamo stare quello che ho fatto io! Però posso dirti che li conosco bene!«

»Sta' quieto, caro! Non ho voglia di ballare con nessuno!«

Ma una sera, sulla terrazza di un caffè, dove la luce rendeva straordinariamente eleganti gli uomini in giacca bianca, Ninetta disse a Giovanni: »Vorrei ballare!«

»Fa' come vuoi!« mormorò Giovanni.

»Non ti dispiace?«

---

collera, rabbia improvvisa che si manifesta con parole e atti volenti

»No, no, affatto!«

Poco dopo si avvicinò un siciliano che, dopo aver gettato un'occhiata carica di significato agli amici, la invitò a ballare. Giovanni allora non poté più tenersi, e corse con una mano sotto il tavolo per afferrare la mano di Ninetta che si voltò verso di lui: egli le mormorò, bianco in viso:

»Con questo, no! Con questo, no! Te ne prego!«

E infatti Ninetta disse: »Sono stanca!«

All'inizio del ballo seguente, un giovane alto, indifferente, si avvicinò a Ninetta.

»Con questo, sì!« disse Giovanni.

La moglie si alzò, e Giovanni decise di tenere gli occhi sul dorso della propria mano, posata sul tavolo, per tutto il tempo del ballo.

Tre volte, Ninetta ballò con quel cavaliere.

»Mi pare un giovane a modo!« disse Giovanni, mentre tornavano all'albergo.

»E invece ha cercato di baciarmi!« disse Ninetta.

»Partiamo!« fece Giovanni, non resistendo più alla collera. »Partiamo subito!«

E infatti, l'indomani, partirono per Milano.

Domande

1. In che modo Brancati rivela i tratti ridicoli della cerimonia delle nozze?
2. Che cosa rappresenta il matrimonio per il passato di Giovanni?
3. Quali sentimenti provoca Ninetta in lui?
4. Perché cambia il suo atteggiamento verso i siciliani?

11

La nuova casa di Milano conservava ancora l'odore cattivo proprio degli ambienti non abitati: ma quello a cui Giovanni non si abituava erano i *mobili razionali.* Tutti quei mobili lo tenevano diritto, e non c'era proprio modo di stare comodi o buttarsi giù.

Un pomeriggio pensò: »Adesso mi faccio un *sonnellino,* come a Catania. Se non dormo dopo il pranzo, la sera sbadiglio continuamente e mi casca la parola di bocca!«

Ma, entrato nella propria camera, non credette ai propri occhi: il letto era sparito dentro la parete, e al suo posto si alzava un mobile *stretto* e lungo con sopra un tappetino e due vasi di fiori. Egli rimase a guardare e riguardare quel mobile privo di scopo; poi disse: »Vuol dire che era scritto così!«

Il telefono, non appena fu collocato nella stanza di soggiorno, portò la voce del presidente della società, Di Lorenzi, il quale si lamentava che Giovanni arrivasse troppo tardi al negozio.

»Avete ragione« rispondeva Ninetta. »Alle undici è troppo tardi! . . . Avete ragione!«

»Comincia male!« mormorò Giovanni. »Chi sa quante cattive notizie deve portarci in casa!«

»Amor mio, riconosci che Di Lorenzi ha ragione. Bisogna che tu ti alzi molto presto! . . . Amor mio buono che si alzerà presto al mattino!. . . Cuore mio cattivo, che si alzerà presto!«

---

mobili razionali, mobili costruiti in modo pienamente corrispondente al loro scopo, alla loro funzione
sonnellino, breve sonno
stretto, non ampio

Infatti, l'indomani, Giovanni si levò alle sei e mezzo.

Ninetta rimase a letto, ma volle che la porta della propria stanza fosse aperta in modo da poter sentire i passi del marito, e fargli arrivare di tanto in tanto la voce.

Ad un tratto, Ninetta sentì morire il rumore dei passi. Che succedeva? Ninetta salta dal letto per vedere cosa fa il marito. E lo trova tutto rosso e beato in viso col dorso sui *radiatori del termosifone.*

»Oh, no, mio caro!« fece Ninetta. »No!«

Giovanni si sentì morire dalla vergogna.

»Sono un po' *freddoloso* di natura!« mormorò, dopo un minuto di silenzio.

»Devi cambiarti!«

»Mi cambierò, vedrai!« disse fra i denti, arrabbiato con se stesso, la propria natura, la Sicilia, la vecchia

---

freddoloso, molto sensibile al freddo

casa di Catania e tutte le coperte che gli erano pesate addosso da quando era venuto al mondo.

Tre giorni dopo, un mattino, si alzò, buio in viso.

»Che vuoi fare?« chiese la moglie.

Egli la guardò, deciso: »La *doccia* fredda!«

»Ma no, caro! Se non sei abituato, no! Bisogna cominciare d'estate, non d'inverno! Ti prego, caro!«

Egli scosse il capo e si avviò verso la stanza da bagno. »In fondo,« pensava, »l'acqua fredda non ha mai ucciso nessuno. Ho il cuore sano. Grazie a Dio, ho il cuore sano! Forza!« E con un salto fu dentro l'acqua fredda della doccia.

Tutto il suo sangue, tutta la sua pelle accarezzata dalla lana anche durante l'estate, le radici stesse della sua vita, saltarono su, al contatto dell'acqua fredda. Gli parve di morire, di gelare, e poi di bruciare. »O muoio,« pensava, »o divento un altro!« Uscì dal bagno col viso acceso.

»Mi sento proprio meglio!« disse alla moglie. »Il freddo non ce la fa più con me!«

Piano piano divenne un altro: Secco, magro, e con gli occhi lucidi. Andava in giro leggermente vestito, mangiava meno, e si concedeva pochi minuti di riposo durante il giorno, e poche ore durante la notte. Ninetta approvava; era lei, in fondo, che comandava di essere veloci, magri, svelti, poco vestiti.

Del suo nuovo aspetto non sapeva che pensare. Applicando le regole comuni, per le quali un uomo viene giudicato bello o brutto, egli non risultava provvisto di alcuno di quei caratteri che fanno dire di un uomo che è brutto. Tuttavia, ogni volta che, nel mezzo del salot-

---

doccia, vedi illustrazione pag. 84

to, Ninetta gli appoggiava la testa sul petto, egli continuava a vedere nello specchio la scena di una donna bella e di un uomo brutto.

In febbraio, arrivarono i mobili dei salotti.

»Ora non saremo più soli!« disse Ninetta. »Conoscerai persone di grande qualità! . . .«

Da quella sera, infatti, fra »Sì, sì! . . . Oh! . . . che gusto! . . . Brava! Brava! . . . Bella! Bene, bene! . . .« tutta Milano (almeno così a lui parve) venne a sedere nei due salotti. Di Lorenzi veniva il giovedì e il sabato: gli *scrittori* Luisi, Marinelli e Valenti, insieme con le loro mogli, venivano invece ogni sera. Gli altri capitavano ogni tanto, a qualunque ora, qualche volta dopo il teatro.

Egli aveva tanto temuto che si sarebbe trovato a disagio con uomini così colti e famosi: invece dovette convenire che tutti quanti eran brave persone; e si alzavano in piedi quando egli entrava nel salotto, e gli domandavano sempre cosa pensasse dei loro discorsi, e notizie sulla Sicilia.

Giovanni rispondeva con poche parole, e diceva no

---

scrittore, chi scrive per professione

alzando la bocca come un cavallo quando non vuole più bere.

Valenti giungeva spesso prima degli altri. Era sempre stanco, pover'uomo! Si buttava in una poltrona c chiudeva gli occhi. Giovanni ne provava una gran pena e simpatia.

»Eh, mio caro!« gli disse una sera Valenti, senz'aprire gli occhi. »Non resterà nulla di me! Nulla! Avere scritto »I Malavoglia«* o non avere scritto mai nulla come voi! . . . Non ci sono vie di mezzo per un uomo che si rispetti! Vi invidio!« esclamò Valenti, aprendo gli occhi. »Vorrei essere come voi! Quello che dite voi, va bene! Quello che scrivo io, va male! Perché io scrivo e voi non parlate? La sera, quando ci sono anche gli altri, parlate! Le cose che direte, andranno bene, benissimo! Abbiate fiducia in me: parlate!«

»Questa sera,« gli disse Giovanni, »prenderò parte alla conversazione. Ma temo di far dispiacere a Ninetta!«

»Voi valete più di vostra moglie.«

Giovanni rimase sorpreso: lui valeva più di Ninetta?

La sera, infilandosi in una conversazione, raccontò un episodio della sua vita a Catania. »Il mio vecchio zio,« disse, »non conosceva le persone, e, quando c'erano visite a casa sua, s'avvicinava alle signore quasi a *fricarle* il muso nel muso . . .« Si fermò arrossendo fino ai capelli: quel fricare, santo cielo, era una parola italiana? Ma vide che tutti gli sorridevano.

»Avanti!« disse Luisi. »Raccontate molto bene . . .«

---

*«I Malavoglia». La più nota opera di Giovanni Verga (1840–1922), in cui descrive gli ambienti poveri siciliani.
fricare, fregare, parola volgare per 'mettere'.

»... S'avvicinava dunque alle signore, e le mormorava sul muso: 'Ma voi, chi diavolo siete?'«

Ninetta lo guardò seccamente, ma Valenti gli faceva col capo di sì, di sì, che andava molto bene.

»I giovanotti, invece,« continuò Giovanni, »a quel vecchio, ci armavano la *farsa!*«

»Come?« fece Marinelli, saltando dalla sedia. »Come avete detto?«

»Ci armavano la farsa,« ripeté debolmente Giovanni, »lo prendevano in giro!«

»Ma questo è il linguaggio di Verga! Per Dio che bella lingua, la vostra!«

»E voi,« gli disse la signora Valenti, »che sapete raccontare così bene, avete taciuto per tante sere!«

Sul tardi, però, quando rimasero soli, Ninetta rispondeva secca a ogni domanda di lui.

»Sembri presa dalla bomba!« mormorò Giovanni.

»Che modo di esprimerti, mio caro! Presa dalla bomba!«

»Io sono siciliano, e parlo siciliano! ... O parlo italiano! ... Parlo insomma come mi viene di parlare!«

»Ma il tuo non è né siciliano né italiano! Non credere a loro quando ti ammirano, lo sappiamo poi cosa dicono di te? Da quelli non riesce a guardarsi nessuno.«

Giovanni perdette la calma: »Nemmeno tu!« disse.

»Nemmeno io, lo so, ma distinguono fra me e te! ... Caro!« disse ad un tratto Ninetta ridendo. »Perdonami!«

»Perdonami tu!« fece Giovanni a voce bassa.

L'indomani sera, nel salotto, egli tornò alle sue frasi di poche parole.

---

farsa, qui, situazione che cade nel ridicolo

»Parla!« gli disse piano la moglie. »Ieri sono stata una sciocca.«

»Non mi va di parlare!«

Cominciava a dargli fastidio che gli amici di Ninetta lo approvassero tanto. »Ma in fondo,« pensava, »cosa dico di straordinario?«

Spesso, a casa sua, si parlava di libri: ma questi scrittori dicevano poi di odiare i libri e di amare la »vita sana«, i viaggi, l'*ignoranza,* l'azione; e così dicendo, guardavano Giovanni con un tenero sorriso. Egli sentiva di rappresentare per quei signori troppe cose, di cui gli sfuggiva il vero senso; e quando i loro occhi rimanevano troppo a lungo sulle sue spalle, usciva dal salotto.

Un giorno capitò a Milano l'amico Muscarà, e Giovanni lo invitò a colazione insieme con molti altri ospiti. Dopo il primo bicchiere di vino, sentì un fiato caldo colpirgli l'orecchio: »Quella lì?« mormorò l'amico.

»Ebbene?« fece Giovanni vivamente.

Muscarà diede un'occhiata verso la signora Valenti: »Quella lì, dimmi un poco, si lascia?. . .«

Giovanni gli gettò addosso uno sguardo così terribile che Muscarà non continuò. Ma passati nel salotto, e rimasti soli in un angolo, Muscarà riprese il discorso: »Sei diventato stupido? Quella lì ne avrà fatte di tutti i colori! E tu ci hai bagnato il pane, come gli altri!«

Bisogna dirlo, da un certo tempo, Giovanni non era più tormentato dai vecchi desideri. Fosse la doccia fredda del mattino, fosse quella vita attiva, il mangiare poco, l'odore della nebbia, certo è che Giovanni non

---

ignoranza, il non conoscere determinate cose; mancanza di istruzione

aveva nemmeno prestato attenzione alle signore che frequentavano la sua casa. Gli sarebbe parsa una cosa straordinariamente fuori luogo, senza scuse, desiderare, al modo di Catania, una di quelle signore.

»Finiscila, ti prego!« disse a Muscarà.

»Come vuoi!«

Muscarà, ripartito la sera stessa, lasciò nella casa il sospetto e il dubbio. Giovanni non rimase più tranquillo quando la Valenti gli metteva la mano sul ginocchio.

Così, mettendo un piede dietro l'altro nella via dei sospetti, cominciando a rispondere, almeno coll'arrossire, a quelle piccole pressioni, Giovanni si trovò, una sera, nell'angolo buio di un caffè, con le labbra della Valenti fra le labbra. »Che bel guaio!« pensava durante il bacio. »Dove mi sono cacciato?«

Si accorgeva poi di non provare altro che disagio e paura.

Da questo lato, le cose proprio non andavano bene. Due volte, e dette da due signore diverse, la frase: »Che siciliano siete?« colpì l'orecchio di Giovanni. Una terza volta, questa frase tornò da parte di una ragazza, in una forma poco poco diversa: »Così siete, voi siciliani?«

Veramente i siciliani non erano così, né egli era stato sempre così. Giovanni si sentiva assai cambiato. Come? A Ninetta aveva detto: »Meglio!« E in un certo modo si sentiva meglio; ma sempre sul punto di sentirsi orribilmente.

Cominciò così ad aver paura di tutto quanto richiedesse da lui ancora una spesa di forze, oltre quelle stabilite. E soprattutto ebbe paura delle signore. Le evitava, le sfuggiva, voleva sempre con sé Ninetta quando s'avvicinava una di loro. E finì con l'odiarle.

Domande

1. Come »la regina di casa« impone la sua personalità?
2. Come Brancati mette in ridicolo gli intellettuali?
3. In che modo Giovanni reagisce all'ambiente milanese?

12

Ai primi di maggio, un mattino, alla porta della sua camera si presentò Ninetta e gli annunciò che »qualcosa di lui si muoveva nel suo ventre.«

Giovanni saltò dal letto con un grido di gioia.

La sua vita divenne più attiva e veloce. Egli appariva veramente forte, ma la paura di rimanere privo di forze non lo lasciava un solo momento durante la giornata.

Una sera, mentre stava seduta in una poltrona, Ninetta divenne bianca in viso e fece cader indietro la testa.

»Che succede, Madonna Santa?« esclamò la signora Luisi.

Giovanni era rimasto di sasso sì da non potersi muovere e dare un po' di aiuto.

Ninetta riaprì gli occhi, e disse due parole nell'orecchio dell'amica: »Oh!« fece lei, e guardò Giovanni con un sorriso; poi guardò gli altri, e anche gli altri capirono, e guardarono Giovanni. I »bene« e »bravo« scoppiarono da tutte le parti, verso di lui, e i complimenti, specie delle signore, furono tanti e tali che riuscirono a fargli pronunciare una frase priva di senso, ricordando la quale non dormì per tutta la notte: »Che c'entro io? È lei che! . . .«

L'indomani, mentre stava nel solito angolo del balcone, di là dalle tende, fu raggiunto dalla signora Valenti:

»Adesso lascerete in pace vostra moglie!« disse dopo aver esitato e pronunciato alcune frasi lasciate a mezzo. »Non siamo animali, siamo creature ragionevoli! . . .«

Che voleva dire? Giovanni si voltò verso la signora, e le scoprì negli occhi un'espressione che pareva dire: »Quanto ai vostri sensi, poiché nella vita c'è anche questa parte dolorosa e bassa, pazienza, me ne occupo io!«

Del resto, non solo lei, ma tutte le signore sue amiche cominciarono a fargli capire che la povera Ninetta ... no badiamo! ... egli, insomma, avrebbe dovuto aver bisogno della loro più stretta amicizia!

»Ma i mariti,« pensava Giovanni, »se alzassero gli occhi dai libri ogni tanto? ...«

Gli dispiaceva, in modo particolare, che il buon Valenti avesse quella moglie. La signora Valenti non si tratteneva affatto, quando rimaneva con lui, in un angolo del balcone, di là dalle tende.

Ma questa scena, benché corrispondesse a tutte le fantasie che gli avevano turbato il sonno nei pomeriggi estivi in Sicilia, ora gli faceva battere i denti per una sensazione di freddo, di mal di mare, e lo induceva a pensare giudizi gravi nei riguardi della signora: »Una madre di famiglia! ... Una donna che ha la sua età! ... A un amico, no, non la faccio!«

Lo strano era poi che l'amico, come tutti gli altri di cui Giovanni avesse trattato freddamente la moglie, l'indomani lo trattava freddamente!

»Che gli ho fatto?« pensava egli. »Ma questa gente vuole proprio raccogliere le corna da terra per mettersele in testa?«

Una sera, Ninetta lo pregò di non respingere una sua preghiera: »Facciamo una corsa in Sicilia, e torniamo subito!«

Giovanni rimase sopra pensiero: »Lasciami riflettere!«

L'indomani rifletté continuamente.

Era maggio. A Milano c'era ancora la nebbia. »Andiamo!« disse.

»Oh, grazie, caro! Non ti conosceranno più, vedrai! Sei proprio un altro uomo!«

Due giorni dopo, Ninetta poteva riportare quell'»altro uomo« in Sicilia. I due sposi erano saliti in treno.

Ridevano, si afferravano le mani, s'indicavano col dito teso il primo forte raggio di sole che fosse apparso a Milano. Poi il treno si mosse, e i due sposi si sedettero l'uno di faccia all'altra, nell'atto di chi si prepara a fare un discorso. Essi cominciarono col parlar male della Sicilia. Che gente! Arabi, tristi, pigri! . . . Giovanni svelò alla moglie alcuni segreti degli uomini catanesi: »Se ci stai attenta, vedrai che nessuno dei miei amici ti guarderà negli occhi! Han paura di turbarsi, perché tutti credono di avere il sangue caldo!«

»Davvero?« fece Ninetta, ridendo con le lacrime agli occhi.

Intanto il raggio di sole era scomparso, la nebbia copriva i campi, e tornava a far freddo. Giovanni, d'un tratto, si lasciò prendere dai pensieri: si sentiva la bocca amara e le spalle stanche come se fosse stato lui a portare le loro valigie. Si guardò nello specchio sulla parete. »Ehi, come sono diventato magro!«

»Stai molto meglio!« disse Ninetta.

»Oh, sì, certo!« fece egli e tornò a sedere.

A Roma cambiarono treno.

Trovarono una catena di carrozze fra scatole, polli legati a mazzo per le gambe, bambini che venivano tirati in alto ai finestrini, alcuni poi riportati in giù, dopo essere stati baciati e abbracciati, altri invece tirati dentro la carrozza. C'era una gran confusione. Tutti correvano in su e in giù, e, dopo cinque o sei passi di corsa, tornavano indietro come se avessero dimenticato qualcosa; si chiamavano da vicino a voce alta; si ritrovavano ogni momento con un sorriso di gioia, e subito dopo si rimproveravano per questo o quello che non andava bene. Al segnale della partenza, si gettarono le braccia al collo, mangiandosi coi baci, e piangendo con gran rumore.

Giovanni e Ninetta si fecero largo con difficoltà fra due signore che non sapevano più salire, tanto erano commosse.

Lo *scompartimento,* in cui Giovanni e Ninetta entrarono, aveva tutta l'aria di una casa ove abitasse da lungo tempo una famiglia numerosa. Si sentivano dappertutto il *calore* e l'odore di vita umana e d'affetti.

Giovanni diventò allegro, e si mise a guardare, l'uno dopo l'altro, i suoi compagni di viaggio. Anch'essi risposero al suo sguardo; ed egli per alcuni minuti, si affondò in quegli occhi neri, lucidi e spaventati. Così, giunsero nello *stretto* di Messina e videro, sotto un sole caldissimo, avvicinarsi alberi e piante che parevano quelli del mondo intero accumulati tutti in un'isola.

Dopo Taormina, la campagna moltiplicava i suoi fiori. Giovanni si tolse la giacca, alzando il viso verso il sole.

»Certo, è bello!« disse Ninetta. »Ma è noioso!«

»Oh, noiosissimo!« rispose Giovanni. »Come si può vivere qui?«

Giovanni e Ninetta rientrarono a Catania. Avevano lasciato le valigie al deposito, per essere svelti e liberi

---

scompartimento, parte di una carrozza
calore, stato di ciò che è caldo
stretto, braccio di mare tra due terre che collega due mari

come due forestieri. Passeggiarono per un'oretta, riconosciuti appena dai vecchi amici. Poi litigarono, con molta grazia, sul dove andare per primo. A casa di lei o in casa di lui. Un soldino, a cui fu lasciata la decisione, cadendo dalle parte del Re, decise che sarebbero andati prima in casa di Giovanni.

Così fecero. Le tre sorelle scoppiarono subito a piangere: trovarono il loro Giovanni assai mal ridotto.

»Ma siete pazze!« diceva Ninetta, perdendo la solita calma. »Sta benissimo! Ha l'aria più sportiva. È un altro uomo!«

»E sì ch'è un altro, e sì ch'è un altro!« disse piangendo Barbara.

Giovanni cercava di ridere, e ripeteva: »Ma insomma, basta!« E intanto si godeva i vecchi odori della propria casa, e li sentiva e distingueva tutti, perfino quello del mucchio di coperte lasciate nel corridoio, vicino alla sua camera, per il caso che, di notte, egli sentisse freddo.

»Ebbene, fateci mangiare!« disse ridendo.

»Ma è pronto!« fece Rosa.

Presto si trovarono seduti davanti a un vero ben di Dio che fumando riempiva i piatti.

»Io non mangio più in questo modo!« disse Giovanni. »Così mangiano gli animali! Ma, per oggi, voglio tornare ai vecchi tempi!«

E infatti, tutta la roba che fu versata dalle tre sorelle nel suo piatto gli sparì dentro.

»Non so se mi sento male o bene!« disse alla fine, alzandosi da tavola. »Ricordate,« aggiunse, ridendo, »quando, alla fine del pranzo, andavo sempre a dormire? Ora non sento più questo bisogno!«

»Il tuo letto è sempre lì,« disse Lucia.

»Non lo abbiamo toccato,« aggiunse Rosa.

»Se vuoi riposare, non hai che da andare nella tua camera!«

Giovanni scoppiò a ridere, guardando Ninetta che si mangiava l'unghia dell'indice.

»Quasi, quasi,« disse, sempre ridendo, »vorrei provare come ci sto, dentro quel vecchio letto!«

»Ma no, ti prego, su!« esclamò Ninetta. »Dobbiamo andare a casa mia!«

»Un solo minuto! Il tempo di entrare sotto le coperte, e uscirne!«

»Fa' come vuoi! Ci vuole molta pazienza con te! Ma ti prego di ricordare che i miei ci aspettano per le tre!«

»Io farò tutto in dieci minuti. Non dormirò mica, sta' sicura! Arrivederci, dunque!«

Nella sua camera, Giovanni si spogliò lentamente, e si mise sotto le coperte. Non era passato un minuto, che il letto si aprì sotto di lui come un mare di lana, e un'onda di sangue caldo lo attraversò dalla testa fin giù ai *calcagni,* che a Milano s'era sempre trascinato dietro come pezzi di ghiaccio. Rivide le signore milanesi. E che donne! E come aveva potuto resistere? Come non se le era mangiate quelle gambe, quei fianchi? . . . Il bisogno di raccontare gli crebbe sulla lingua: desiderava che Muscarà e Scannapieco gli sedessero accanto, come ai bei tempi.

»Uhuu! Adesso dormo un minuto!«

E infatti chiuse gli occhi.

Dopo un minuto di sonno, duro come un minuto di morte, li riaprì freschissimi. Stese la mano nel buio e suonò il campanello. Apparve Barbara.

---

calcagno, parte del piede

»Apri le finestre, sorella mia!« disse egli.
Le finestre furono aperte, ma non entrò che buio.
»Come, buio?« esclamò egli.
»Certo! Sono le otto!«
»E quanto ho dormito?«
»Cinque ore!«
»Cinque ore? M'è sembrato un minuto!«
»Ninetta,« aggiunse Barbara, »non ha voluto svegliarti, ed è andata a casa del padre.«
»Nel tempo che staremo a Catania,« disse egli, voltandosi, »credo che sia meglio che lei dorma a casa sua, e io qui, a casa mia!«

Domande

1. Perché cambia il rapporto di Giovanni con gli amici milanesi mentre Ninetta aspetta un bambino?
2. Perché Giovanni ha paura a ritornare in Sicilia?
3. In quali diversi aspetti si manifesta il calore della vita siciliana?
4. In che modo Giovanni ritorna ad essere l'antico siciliano?
5. Quali sentimenti rivela lo scrittore nel creare il suo eroe?